APRENDER A APRENDER

ANA GRACIELA KELLEYIAN

Índice

Dedicado a Mary, mi hermana, quien me "presionó" para que entrara al colegio secundario donde descubrí el placer de estudiar.

A Eduardo y Matías, quienes siempre me apoyaron en los días de exámenes.

A Dios, quien entró conmigo cada día de clase.

¿Por qué a Dios?

Porque acercarse a Dios es poseer el conocimiento más importante, es "el principio de la sabiduría". Tus proyectos tienen sentido de eternidad y por eso cada día podés vivirlo con intensidad y con la seguridad de que vas bien encaminado. Entonces ya no te costará aprender, estudiar o rendir exámenes, porque Jesús puede ser tu mejor compañero. El quiere ser tu mejor amigo. Él puede estar con vos cada momento lindo o difícil, pedile ahora que entre a tu corazón para siempre. Dios te bendiga.

Ana

El verdadero viaje al descubrimiento no consiste en buscar nuevas tierras sino en mirar con nuevos ojos.

Marcel Proust

PRESENTACIÓN

Luego de ayudar a muchas personas a descubrir su vocación y a elegir sus carreras, me di cuenta lo difícil que se les hacía progresar en los estudios para alcanzar la meta soñada.

Por esa razón, decidí emprender el dictado de un breve curso, especialmente diseñado para usar las fichas de este Manual en forma individual y grupal.

Estudiar es un proceso, un camino para alcanzar una meta. Andamos todo el tiempo, aprendemos todo el tiempo.

Tener proyectos es mirar con alegría al futuro. Deseo que este material te acompañe en el caminar hacia el logro de tus proyectos. Pero recordá: si no estás dispuesto a esforzarte a diario es mejor que no sigas leyendo. Aunque estas técnicas te pueden ayudar, no son mágicas pues sin tu dedicación no valen para nada.

La finalidad de estudiar es potenciar el desarrollo cultural y humano, la formación integral de la persona, para que lleve una vida con plenitud a nivel individual así como en la relación con los demás.

La perspectiva de este curso te mostrará que estudiar es un arte y un trabajo. Debemos aprender ciertas habilidades y destrezas para alcanzar el éxito pensado. Es mejor tener una estrategia planeada de antemano a fin de usar el tiempo de estudio efectivamente, que dedicar mucho tiempo sin el resultado esperado.

Podrás observar en este Manual, una Parte Teórica para conocer el funcionamiento de nuestra mente y técnicas para estudiar. Luego, una Parte Práctica con fichas de práctica para hacer del estudio un hábito sencillo, progresivo y rápido. Por último, una tercera sesión con las soluciones de los ejercicios.

He llevado una vida de estudiante, y ahora compilo en este Manual los textos y ejercicios que más útiles fueron para mí a los largo de mis carreras. Espero puedas aprovechar este libro y el curso.

Dios bendiga tus decisiones y tu tiempo.

ESTUDIAR

Si estás leyendo este Manual es porque tu deseo es estudiar. Es fundamental mentalizarte en que la exigencia de hoy para vos es que "tenés que estudiar". Si no querés estudiar, el resto sobra. Pero, como habrás notado, la situación social exige que te prepares para un mejor futuro laboral lo que implicará también un trabajo acorde a tus intereses y capacidades.

La fórmula del éxito académico según Bernabé Tierno es:

Éxito = Capacidad + Interés + Técnicas de estudio + Tiempo empleado + Persistencia + Autoconfianza.

Pensá en cuáles de estas variables tendrías que crecer.

Será necesario primeramente **mentalizarte**. Mientras estés haciendo una carrera, entrenar diariamente es una obligación. El entrenamiento al que me refiero hoy tiene que ver con estudiar, más adelante tendrá que ver con trabajar en forma dependiente o independiente pero del mismo modo necesitarás tener disciplina. Hoy tu trabajo es estudiar.

Desde el primer momento deberás reconocer que lo haces para tu propio beneficio. El conocimiento sólo podrás adquirirlo vos para tu propio beneficio. Esa es la mayor motivación. Esta motivación es la que crea el interés, el esfuerzo, la atención, la concentración, entre otras cosas. Si haces una carrera porque alguien te insiste, de todos modos es para vos.

Lo segundo más importante es **organizarte**. No estoy hablando de capacidades ni inteligencias. Digo organización. Para estudiar es más importante organizarse que ser muy capaz. Este Manual está ideado para ayudarte a organizarte, para mejorar tu manera de estudiar, de memorizar, de resumir, de dar examen y de hacer trabajos escritos. Espero que lo aproveches.

La acción de estudiar puede resumirse en:

1. adquirir **información**
2. transformar esa información en **conocimiento**
3. poner en **práctica** ese conocimiento.

Piensa en las principales causas del fracaso al estudiar y señala cuáles pueden ser dificultades para vos:

- falta de concentración
- dificultad para memorizar
- fatiga - cansancio
- poca eficiencia en la lectura
- aburrimiento - desinterés
- alta autoexigencia frente a exámenes
- no poder cumplimentar trabajos prácticos
- frustración – baja estima personal
- inadecuado descanso
- sensación de incapacidad

Ahora podés hacer tu test de "Mi modo de estudiar" con la Ficha N°1

El Mejor Método de Estudio

Método significa camino. El método de estudio es el camino para Aprender a Aprender. Esta práctica me ha servido para no cansarme de estudiar y a la vez de consolidar el aprendizaje. Enseñé este sistema a muchos estudiantes que han logrado el éxito.

Quiero que sepas que no sirve estudiar varias horas seguidas. Hacé un horario semanal realista. De acuerdo a tu trabajo, a las horas de cursada y a compromisos fijos. Anotá todo en los 7 días de la semana. Así, gráficamente sabrás cuantas horas dispones para dedicarte a tus tareas personales, a estudiar o a compromisos ocasionales. Podés encontrar una grilla en la Ficha Nº3 de este Manual.

Ahora bien, si te quedan espacios de 30 minutos o más, entre actividades, ya podés hacer un plan de estudios. Si tenés un calendario demasiado "lleno" implementá alguna alternativa: dejá de hacer algunas cosas, tomá menos materias o dedicá todo el fin de semana (excepto las necesarias salidas de distracción). Esto se intensifica en semanas de exámenes donde quizá debas dejar actividades extracurriculares.

Será necesario saber que cada materia necesita estar ordenada. No mezcles papeles ni apuntes. Es mejor usar carpetas de hojas intercambiables o usar un cuaderno para cada materia o a lo sumo para dos (una materia al principio y otra iniciando desde la mitad o desde la otra tapa, girándolo si es cuadriculado). La cuestión es que a la hora de estudiar no pierdas demasiado tiempo ordenando o buscando apuntes o fichas perdidas. Llevá una agenda todos los días a clases para anotar las fechas de exámenes, entregas de trabajos y datos o pedidos del profesor.

El lugar de estudio debe ser en una mesa (no en la cama, no en un sillón, no en una reposera…) con una silla, si es posible en tu dormitorio sin personas que estén hablando a tu alrededor, excepto que estudies en grupo la misma materia, del mismo tema. Debe estar ventilado, de lo contrario, abre todo en tus ratos de descanso. La luz no debe ser débil ni directa a los ojos, no debés hacer sombra con tu mano o tu cabeza sobre lo que leés o escribís.

Delante de tu vista sólo debe estar lo que vas a leer o escribir. No debe haber fotos, revistas ni nada que te distraiga. No uses auriculares ni el televisor. La concentración mejora con la quietud. Si querés poner música, que sea suave, y no cantada. Que no sea música que te haga emocionar o "recordar" para que te distraigas. Apagá el celular y no tengas teléfonos encendidos. Respetá y hacé respetar tu tiempo de estudio, evita interrupciones. Todo esto parece muy rígido, pero luego de acostumbrarte, mejorarás tu concentración y por lo tanto dedicarás menos horas al estudio.

Es muy importante tener el programa de cada materia para saber por donde vas al correr las semanas. Además el nombre de cada bolilla o unidad te dirá qué es lo más importante, en general el objetivo lo dice claramente.

Si no estudiás habitualmente, es difícil que puedas empezar estudiando tres horas al día. Te propongo un plan:

- ➢ Durante cinco días seguidos esforzáte a trabajar media hora.
- ➢ Luego, aumentá 10 minutos cada día hasta alcanzar 50 minutos de trabajo y fijá 10 de descanso.
- ➢ No comiences este plan en fechas de exámenes.

Según la retención mental normal, los objetivos de trabajo diario son:

- ➢ De 7-12 años: 30' a 2 hs

- De 12-16 años: 2 a 3 hs
- Más de 17: lo que necesites.

"El secreto de su éxito está determinado por su agenda diaria... Las personas de éxito toman buenas decisiones al principio y las controlan cada día". John Maxwell, Hoy es importante.

La mejor manera de estudiar es la que llamo: **bloques de estudio.** Un "bloque de estudio" está entre dos espacios de distensión. Esto fuerza la concentración y consolida la información adquirida. Así, el promedio será estudiar durante 50 a 55´ y luego levantarse y cambiar de espacio y de actividad por 5 a 10´ para volver al ámbito de estudio. Para esto usá un timer o reloj despertador. Si eres de fácil desconcentración tus "bloques de estudio" deberán ser más cortos, como de 30 a 40´, con 5´ de descanso. Contá cuantos bloques de estudio harás cada semana y que estudiarás en cada uno. No mezcles muchas materias al día.

Te sugiero que en el tiempo de descanso salgas del lugar de estudio. Mires tele, bajes los mails, tomes algo, hables con alguien, chatees, respondas llamados. Pero ni un minuto más del tiempo prefijado.

Las horas del día son mejores para estudiar y rendir. Si creés que te queda más tiempo o es más tranquilo para vos estudiar por la noche, tené en cuenta tus horas de descanso. No tomes café ni energizantes para mantenerte despierto, tu sistema nervioso y tu sueño pueden alterarse.

Imaginá que tenés unos cuantos bloques de estudio a la semana de pura lectura, resúmenes, mapas conceptuales, cuadros, etc., podrías tener al día todas las materias que cursas, y estarías preparado para el final. Es grandioso mantener las materias al día, todo se facilita para rendir exámenes, y ningún contratiempo amenaza tu carrera.

Obviamente, no todas las materias se estudian del mismo modo. Las materias que requieren práctica de ejercicios como idiomas, matemáticas o química deben tener una práctica personal. Las correcciones de ejercitación deben ser hechas en clases o con tu manual. Nunca debés copiarlas de un compañero, porque te daría una falsa sensación de haber cumplido y de saber.

Con la Ficha N°2 comprobarás tu mejor manera de estudiar de acuerdo a lo tratado en el curso.

COMPRENSIÓN Y VELOCIDAD LECTORA

La lectura es la base del estudio. Leyendo mal es difícil estudiar correctamente. Por tanto, leer bien es imprescindible. Practicá la lectura aunque nadie te obligue. Siempre habrá algún tipo de libro que te pueda interesar. ¡Para empezar valen hasta las revistas!

Practicá hacer dos lecturas de un mismo texto:

1. Una **prelectura**, que es una lectura global para identificar las ideas más importantes: leer los títulos, subtítulos, palabras en negrita, ilustraciones...
2. Luego, una **lectura comprensiva**, más detallada tratando de entender todo y fijándose bien en gráficos, pies de fotos.

Escribí anotaciones en los márgenes: ya sean dudas, conclusiones, comentarios o el significado de alguna palabra rara que luego buscarás en el diccionario.

Hay que distinguir entre la idea principal de un texto, las ideas secundarias y los detalles. Al leer siempre debés tener un lápiz a mano para anotar o subrayar o importante. Al leer tratá de relacionar con lo que ya sabés o con otras materias. También es útil cuando encuentres una palabra parecida a otra que conoces, averiguar exactamente las diferencias entre las dos palabras. Además este es un buen método para ampliar tu vocabulario.

Al leer es muy importante tener en cuenta signos de puntuación y las palabras "señal". Por ejemplo los dos puntos (:) significan que se va a dar una explicación. La palabra "pero" significa que vamos a retroceder en el desarrollo del texto. Las palabras en negrita son conceptos importantes. Las comillas son citas textuales. Las palabras "por tanto" indican una consecuencia. Fijate y aprendé a reconocerlas. Esto mejorará tu forma de hablar y escribir.

Comprensión por Decodificación de textos[1]

Un texto es escrito para transmitir un mensaje y concretar un propósito de comunicación apelando a recursos del contexto y del mismo universo del discurso, basándose en el poder transmisor del lenguaje. Para el lector el proceso es inverso debe decodificar el mensaje del autor. Es en ese espacio donde se sitúa la aventura de la comunicación. El autor del texto usa las palabras como puente superficial.

El autor, aún el más creativo, tiene una forma o molde de organización del texto al cual debe ajustarse, en especial si es un libro preparado para la enseñanza de alguna materia. Veamos las estructuras más comunes o modos de escribir:

- **Problema-solución:** En este esquema se presenta una situación como problema a resolver u objetivo. Se plantean posibles soluciones, medios y planes y se evalúan los resultados esperados si son hipotéticos o acontecidos si son históricos. (ej. Una investigación médica)
- **Secuencia:** Se introduce el tema y las etapas. Se describen por su orden cronológico o numérico. Se señala la situación actual como producto del proceso. (ej. Un libro de historia)
- **Comparación:** Se comparan entre sí diferentes temas explicando el por qué. Se toman los puntos de comparación y sus semejanzas y diferencias. Se evalúa la tarea. (ej. Un libro sobre los diferentes estilos de terapia psicológica)

- **Causalidad:** Se presenta el tema en función de sus causas. Se describen los aspectos objetivos (orígenes, factores, elementos) y los subjetivos o razones que llevan a considerarlos. Se resume. (ej. Un libro de sociología)
- **Descripción:** Se introduce el tema. Se presentan sus características esenciales, lo más destacado, los ejemplos. Se concluye. (ej. Un libro sobre metodología de la investigación)

Estas clasificaciones son dadas a fin de entender la manera más común de escribir sobre ciertos temas. Puede notarse que las estructuras apelan todas a la noción de ciclo: una introducción que incluye la visión general y el propósito. El desarrollo que es la parte más extensa. Luego viene el cierre que toma como base lo anteriormente expuesto.

El lector y el autor comparten algo: el tema que se trata. Por eso la primera parte del método de estudio es la *prelectura* para situarse en el grado de conocimiento que se posee sobre la obra y la estructura con que fue escrita. Durante la lectura el autor aportará luego lo nuevo a cuya aparición deberá estar atento el lector para avanzar en la progresión temática. La comprensión del texto dependerá también de lo que aporte el lector, de lo que sepa previamente y de que el texto esté a su alcance intelectual.

Velocidad lectora

La lectura debe ser rápida pero no tanto como para no entender el texto. Debe haber un equilibrio entre velocidad y comprensión. Debemos leer a la máxima velocidad que podamos, sin que por ello dejemos de entender algo (salvo que estemos haciendo una lectura preliminar). Para ello se necesita gran atención y concentración.

Hay que leer varias palabras de un golpe de vista (en una fijación). No debemos leer silabeando como algunos niños que aprenden: "mi-ga-to-es-bue-no". Los lectores más rápidos pueden abarcar con una fijación hasta 5 palabras. Evitar retroceder para volver a leer lo que ya se leyó. Lógicamente es mejor ir más despacio y aumentar la concentración para no tener que volver a leer algo que ya se leyó. Eso ocurre con más frecuencia cuando estamos cansados o tenemos sueño.

Evitar leer en voz alta, mover los labios o pronunciar mentalmente. Leé ideas, no palabras. Salvo que necesites escucharte para concentrarte más al principio o para practicar para un examen oral. Evita recorrer la línea con el dedo o lápiz. Tampoco muevas la cabeza siguiendo la línea. Lógicamente, la velocidad debe adaptarse en todo momento a la dificultad del texto.

Si adquierís la costumbre de leer a más velocidad, por lo general se mejorá también la comprensión del texto, porque la concentración es mayor.

Revisá al Ficha N°4 para comprobar tu comprensión.

HERRAMIENTAS PARA ESTUDIAR

Estudiar es un proceso en el que debe tenerse en cuenta: los conocimientos previos (escuchar al profesor), la materia, el tiempo, la retención personal, etc. Observá este cuadro y revisa las herramientas que usás e intentá implementar otras que te sean útiles[2]

Herramienta	Características	Objetivos
RESUMEN	Reproduce en pocas palabras, dejando intactos los conceptos básicos y respetando el vocabulario original	Enriquecer el lenguaje. Establecer niveles de importancia de lo que se lee o escucha
SÍNTESIS	Resume textos con vocabulario y estilo propios. No interesa la organización de temas del texto	Reelaborar personalmente lo leído Desarrollar la capacidad de expresión del pensamiento
SUBRAYADO CONCEPTUAL	Señala ideas principales y secundarias, palabras claves, datos técnicos, relevantes o detalles importantes	Destacar las ideas principales de un texto. Leer luego únicamente lo subrayado favoreciendo la retención de un texto

CUESTIONARIOS	Hacer preguntas de las ideas principales	Resumir, esquematizar conocimientos, evaluar el aprendizaje. Aprender a preguntar y a responder con exactitud
TOMA DE APUNTES	Registrar las ideas principales del docente en clase, interpretando esas ideas a la luz del material teórico que sustenta la clase	Aumentar la atención en clase. Si se le agregan contenidos teóricos quedará conformado el resumen
NOTAS MARGINALES	Luego de leer cada párrafo se pregunta mentalmente de que habla el autor y se escribe al margen palabras o frase clave que represente el contenido	Captar a simple lectura la estructura temática y racional es el primer paso para un cuadro sinóptico o esquema de contenido
CUADRO SINÓPTICO	Es un esquema de contenidos, una síntesis diagramada que permite la fijación visual del exacto lugar que ocupan los conceptos en la totalidad del tema	Favorecer la fijación del aprendizaje

MAPA CONCEPTUAL	Sistema que representa la información organizada por nodos interconectados por flechas o líneas. Los conceptos se encuentran jerarquizados permitiendo ordenar las ideas entrando por un nodo principal	Jerarquizar conceptos y ordenar ideas
RED CONCEPTUAL	Es un mapa conceptual, con la diferencia que se puede entrar por el nodo principal o por cualquier nodo sin perder el sentido	Favorecer la fijación del aprendizaje y organizar los contenidos de forma interrelacionada
INFORMES	Son descriptivos e interpretativos. Redactados en tercera persona. Comunican algo con la mayor objetividad y sintéticamente	Realizar síntesis de lo contenidos estudiados. Ejercer un juicio crítico

SUBRAYADO Y NOTAS AL MARGEN

Mejor a lápiz que con birome. Utilizá colores: Reservá los colores más llamativos para subrayar aquello que sea más importante. No debés usar estas técnicas si el libro no es tuyo. Tampoco si lo sacaste de una biblioteca; en este caso es mejor que hagas una ficha sobre el libro con las anotaciones que creas importantes.

Estas técnicas sirven, principalmente, para:

- Estar atento mientras se lee
- Ahorrar esfuerzo a la hora de repasar y hacer esquemas
- Fomentar el sentido crítico
- Desarrollar la capacidad de síntesis

¿Qué subrayar? Se deben subrayar las ideas principales, las palabras técnicas y los datos importantes. Si subrayas poco, perderás información. Si subrayás casi todo, no sirve de nada.

Hay distintas formas de subrayar. Aquí tenés algunas sugerencias:

==========Doble subrayado: ideas principales

____________Ideas secundarias

_ _ _ _ _ _ Discontinuo: ideas menos importantes

Colores: Para destacar al subrayar o con marcador flúo

Recuadrar o rodear palabras importantes, nombres o fechas

{ } [ ]

Encerrar entre flechas o corchetes párrafos importantes

Sólo si estás muy entrenado podés realizar a la vez el subrayado y la lectura comprensiva. Te recomiendo hacer el subrayado luego la prelectura. Una buena idea es hacerlo de tal manera que lo subrayado tenga sentido si se lee seguido. Así es como si ya tuvieses hecho el resumen.

Si tenés mal pulso ¡Usá regla! De no ser así el texto quedará desprolijo y te distrae al releer. Lo que sucederá es que fijarás más las formas de las marcas que el texto que necesitas recordar.

Es importante saber distinguir la idea principal de las secundarias. Para ello hay que entender la estructura lógica del texto. Revisá en las páginas anteriores, los tipos de estructuras que usan los autores.

Una idea también importante es que no pases tus apuntes en limpio. Perdés tiempo. Esforzate en tomarlos con la suficiente claridad.

Para varias herramientas de estudio necesitarás usar signos. Al tomar notas en clase, al hacer notas al margen, resúmenes, esquemas, etc. Utilizá siempre los mismos. Podés crear los tuyos. En las próximas páginas verás también algunas abreviaturas.

?

Idea dudosa, necesario consultar, no se entiende

!!

Buena idea

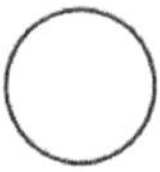

Lo tomará en el examen

Muy importante

D

Buscar en el diccionario

Flechas para relacionar ideas

No abuses de las anotaciones al margen. Si lo hacés, el texto se vuelve desagradable y difícil de leer. Para eso es mejor hacer un resumen escrito, no olvides fichar la bibliografía si te piden un trabajo escrito.

Si las anotaciones marginales o el subrayado están bien hechos, ahorran tiempo a la hora de elaborar los apuntes o esquemas.

Práctica con la Ficha N°5 y 6

ESQUEMAS

Hacer esquemas, posiblemente, es lo que más tiempo te va a llevar. Pero son imprescindibles para estudiar bien. Tener un buen esquema y dedicar tiempo a estudiarlo es clave para el éxito en los estudios. Si lo haces así, seguro que sacás buenas notas.

Una ventaja del esquema sobre otras técnicas, es que aprovecha nuestra memoria visual. De un vistazo tenés una impresión de las ideas del texto más importantes y su conexión.

Cuanto más flojo seas de memoria, más útil es el esquema. Ya que al realizar el esquema te quedás sólo con lo que debés memorizar para el examen. El esquema debe incluir TODA la información que debas saber.

Es imposible hacer los esquemas un día antes del examen. Los esquemas permiten una mejor distribución del tiempo de estudio. Al ir realizándolos las semanas anteriores al examen te quedarán los días previos para completar su memorización.

Si subrayás adecuadamente ya tendrás casi planteado cómo será el esquema, puesto que al subrayar seleccionás las ideas más importantes. El esquema es la síntesis máxima de lo que debés aprender. Tenés que conseguir el máximo de información con la menor cantidad posible de palabras.

Este sistema te obliga a llevar un estudio activo. Con ello mejora tu atención y concentración. Te obliga a comprender y relacionar ideas. Ahorrás tiempo porque con los esquemas se reduce muchísimo el tiempo en los repasos. Que los esquemas estén limpios y claros favorece la memoria visual. Utilizá colores, marcadores, recuadros para destacar las ideas o datos más importantes que debamos memorizar especialmente.

El uso de abreviaturas en los esquemas.

Para los esquemas, es muy bueno utilizar signos, símbolos y abreviaturas para ahorrar espacio. Además, favorecen la memoria visual.

Algunas abreviaturas a modo de ejemplo. Tené en cuenta de siempre usar las mismas en todas las materias, para no confundirte.

igual..........=

siglo..........S.

más que..........+

menos que........-

hombre..........H.

mujer........M.

mayor.......>

menor.............<

que......................q.

por................x

A los adverbios que terminan en "mente" agregale al adjetivo un símbolo: rápida_; fácil_; normal_

Podés crear tus propias normas o símbolos. De la misma manera que los usas al chatear o en un mensaje (msj) de texto

En http://buscon.rae.es/dpdI/apendices/apendice2.html encontrarás el listado de las abreviaturas de la Real Academia Española.

En el curso también aprenderás a hacer esquemas del tipo mapas mentales. Pero mirá los esquemas tradicionales. El más útil es el esquema de llaves. Ejemplo:

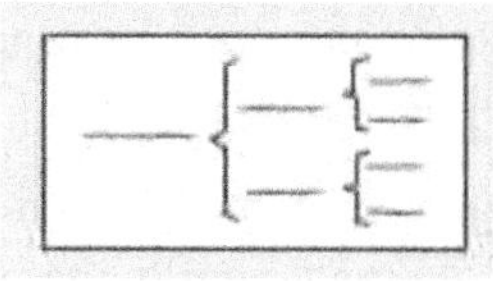

No copies esquemas de un compañero. Seguramente no te servirá para estudiar. Los esquemas son fruto del esfuerzo personal en sintetizar un texto, mientras seguís el proceso de aprendizaje.

También son útiles los índices de los libros. Puesto que son, en el fondo, un pequeño esquema de lo que vamos a encontrar en ese libro.

Los diagramas son esquemas gráficos que resumen mucha información, con lo que se aprovecha mucho la memoria visual.

La cartografía mental[3]

El mapa mental, es la expresion externa del pensamiento. Un mapa mental, irradia siempre a partir de una imagen central. Cada palabra y cada imagen se convierte en una cadena potencialmente infinita de patrones que van ramificándose de tal manera que se apartan del centro común o se aproximan a él a través de asociaciones. El mapa mental representa una realidad multidimensional, que abarca el espacio, el tiempo y el color.

El mapa mental es una función natural de la mente humana y es una poderosa técnica gráfica que nos ofrece una llave maestra para acceder al potencial del cerebro. Se puede aplicar a todos los aspectos de la vida. Al igual que entre un almacén bien o mal ordenado, los mapas mentales ayudan a distinguir entre la capacidad de retención mental de quien los usa, y su eficiencia mental para dicha acción. El almacenamiento eficiente por jerarquías y categorías de los datos, multiplica nuestra capacidad.

"Una imagen vale más que mil palabras" porque las imágenes estimulan una amplísima variedad de habilidades corticales: colores, formas, líneas, dimensiones, texturas y ritmos visuales, incentivando especialmente la imaginación, término proveniente de la palabra latina *imaginari*, cuyo significado literal es "representarse mentalmente". La combinación de estas habilidades, palabras e imágenes multiplica el poder intelectual del cerebro, especialmente cuando uno crea sus propias imágenes.

El mapa mental se basa en la lógica de la asociación, y no en la lógica del tiempo. Se extiende en cualquier dirección y abarca cualquier pensamiento desde todos los ángulos.

Cuando prácticas esta habilidad con énfasis, mejorás tu memoria y tu creatividad, es por eso que es útil emplear imágenes en tres dimensiones, letras de imprenta, códigos tales como círculos, triángulos, subrayados, etc.

La cartografía mental aprovecha características como:

1. Utiliza el énfasis.- Usa siempre una imagen central.- Usa imágenes en toda la extensión de tu mapa mental.- Usa tres o más colores por cada imagen central.- Usa la dimensión en las imágenes y alrededor de las palabras.- Usa las sinestesias (la fusión de los sentidos físicos).- Varía el tamaño de las letras, las líneas y las imágenes.- Organiza bien el espacio.- Usa un espaciado apropiado.

2. Utiliza la asociación.- Utiliza flechas para establecer conexiones.- Utiliza colores.- Utiliza códigos.- Expresa con claridad. - No usa más que una palabra clave por línea.- Todas las palabras con letra de imprenta lo más recto posible.- Las palabras clave sobre las líneas. - La longitud de las líneas debe ser igual a la de las palabras.- Une las líneas entre sí, y las ramas mayores con la imagen central.- Conecta las líneas con otras líneas.- Las líneas centrales deben ser más gruesas y con forma orgánica.- Consigue que los límites enlacen con la rama de la palabra clave.- Las imágenes tan claras como sea posible.- Usa el papel dispuesto horizontalmente.

Cartografía mental compleja. Observa la Ficha N° 7

Los mapas policategóricos contienen más ramas principales que irradian a partir del centro.

El número medio de Ideas Ordenadoras Básicas (IOB), oscila entre tres y siete.

Tony Buzan, nos ofrece los siguientes grupos de ideas ordenadoras básicas, muy útiles para elaborar mapas mentales policategóricos:

- Cuestiones básicas: *¿Cómo/ cuándo/ dónde/ por qué/ qué/ quién/ cuál?*
- Divisiones: *Capítulos/ lecciones/ temas.*
- Propiedades: *Características de las cosas.*
- Historia: *Secuencia cronológica de los acontecimientos.*
- Estructura: *Forma de las cosas.*
- Función: *Lo que hacen las cosas.*
- Proceso: *Cómo funcionan las cosas.*
- Evaluación: *En qué medida son buenas/ valiosas/ benéficas.*
- Clasificación: *Cómo ser relacionan unas con otras.*
- Definiciones: *Lo que significan las cosas.*
- Personalidades: *Qué papeles/ personajes asume la gente.*

De este modo, nuestro cerebro se ve favorecido para analizar, evaluar, describir y sintetizar la información.

Memorización del esquema

Esta es la última etapa del estudio para un examen. Antes de memorizar los esquemas debés tener hechos todos los esquemas y además resueltas las dudas.

Subrayar y colorear los esquemas, incluso cuando se estudian favorece la memoria visual. Podés tener tu propio código: en rojo las fechas; en verde los nombres... siempre usá el mismo código para no confundirte.

Es importante organizarse: Reservá la última tarde antes del examen para memorizar los esquemas. ¿Cuándo debe memorizarse el esquema? No puede hacerse muy pronto, como un mes antes, porque se olvida; ni muy tarde, porque no te dará tiempo. Si vas a tener varios exámenes en un día podés memorizar dos o tres días antes, pero dedicá siempre unas horas justo antes del examen para repasar la memorización.

La memorización es la tarea más importante del estudio. Por tanto, procurá estar despejado. Necesitás estar en tu mejor forma. Nunca con sueño. ¿Cómo se memoriza? Se trata de leer y comprender el esquema y, a continuación, reproducirlo mentalmente con el esquema tapado. Si ves que no lo sabés, repetí la operación hasta que te lo sepas.

Memorizá trozos de esquema. Cuando acabes con una sección, tratá de volver a reproducirlo mentalmente, pero ahora más completo, hasta tener la visión de conjunto. Si hay dibujos, diagramas o gráficos deberás tratar de reproducirlos en un papel hasta que te salgan sin mirar. Nunca los pases por alto.

Practicá en la Ficha N°8

LA INTELIGENCIA

Antiguamente se creía que a más inteligencia, mejor rendimiento académico. Al joven que no se lo veía leyendo por propia motivación o haciendo largas cuentas mentales se lo derivaba a practicar un oficio manual. Esto ha cambiado, hoy sabemos que la inteligencia no se mide únicamente por leer mucho o hacer cálculos matemáticos. Sin embargo, las aptitudes y los intereses personales deberán ser considerados al elegir una carrera, una profesión.

Hoy también decimos que a mayor inteligencia mejor rendimiento pero repararemos en qué tipo de inteligencia tiene esa persona. Howard Gardner fue estudiando estos procesos de sus antecesores que manifestaban que un músico o un atleta tenían una disposición inteligente para el arte o el cuerpo. Fue así que a hoy resume que "hay muchos tipos de inteligencia". En un reportaje cuando estuvo en Argentina mencionó hasta 20 subtipos de inteligencias. Pero ha identificado claramente ocho tipos distintos:

- **Inteligencia lingüística:** es la que tienen los escritores, los poetas, los buenos redactores. Utiliza ambos hemisferios.
- **Inteligencia lógica-matemática:** es utilizada para resolver problemas de lógica y matemáticas. Es la inteligencia que tienen los científicos. Se corresponde con el modo de pensamiento del hemisferio lógico y con lo que la cultura occidental ha considerado siempre como la única inteligencia.
- **Inteligencia espacial:** consiste en formar un modelo mental del mundo en tres dimensiones; es la inteligencia que tienen los marineros, pilotos, ingenieros, cirujanos, escultores, arquitectos, decoradores y diseñadores.

- **Inteligencia musical:** permite desenvolverse adecuadamente a cantantes, compositores y músicos.
- **Inteligencia corporal-cinestésica:** también se puede definir como la capacidad de utilizar el propio cuerpo para realizar actividades o resolver problemas. Es la inteligencia de los deportistas, artesanos, cirujanos y bailarines.
- **Inteligencia intrapersonal:** permite entenderse a sí mismo y a los demás; se la suele encontrar en los buenos vendedores, políticos, profesores o terapeutas.
- **Inteligencia interpersonal:** es la inteligencia que tiene que ver con la capacidad de entender a otras personas y trabajar con ellas; se la suele encontrar en políticos, profesores, psicólogos y administradores.
- **Inteligencia naturalista:** utilizada cuando se observa y estudia la naturaleza, con el motivo de saber organizar, clasificar y ordenar. Es la que demuestran los biólogos o los herbolarios.

Según esta teoría, todos los seres humanos poseen las ocho inteligencias en mayor o menor medida y asegura que todas las inteligencias son igualmente importantes. Se sugiere desarrollar todas las inteligencias, pero el éxito de la vocación tendrá que ver con poner más dedicación a las que se consideren individualmente con más potencial.

EL PENSAMIENTO

No es este un material para "descubrir" una vocación pero sí para descubrir la particular manera de pensar que cada uno tiene a fin de estudiar eficientemente. El proceso de pensamiento es un proceso integral y complejo mediante lo cual la inteligencia actúa sobre la experiencia con un propósito (E. De Bono).

Varios autores explican las operaciones del pensamiento: Jean Piaget, L. E. Raths, los psicólogos cognitivistas, etc., para aplicar estas teorías describiremos las categorías de Bloom.

Las operaciones del pensamiento eficaz son que se amalgaman, intercambian, combinan y complementan. Además es importante tener en cuenta que:

- **Conocer** implica comprender,
- **Comprender** implica aplicar,
- **Aplicar** implica analizar,
- **Analizar** implica sintetizar,
- **Sintetizar** implica **Evaluar.**

Mirá ahora la Ficha Nº9 y ubicá los términos puestos arriba en negrita para saber que incluye cada uno.

LA ATENCIÓN

Aquí se unirán conceptos como "percepción", "atención", "focalización", "concentración". El propósito no es estudiar en profundidad las funciones cognitivas, sino más bien aprovecharlas para Aprender a Aprender.

La percepción es la habilidad de observar el mundo circundante. Percibimos también internamente a través de receptores nerviosos, como cuando percibimos que tenemos dolor de estómago.

Pero ahora nos dedicaremos a la percepción de un estudiante:

- Percepción Visual: capta la información, leyendo, viendo y observando.
- Percepción Auditiva: percibe como resultado de escuchar.
- Percepción Kinestésica-Táctil: recibe datos por vía del movimiento, la experiencia y la participación; palpando, tocando o manipulando.

Cada persona debe saber en qué percepción tiene predominio a la hora de estudiar. Esto es bueno para crear la propia forma de resumir, memorizar, etc.

La psicología de la Gestalt ha enunciado leyes que explican como percibimos. En el curso conocerás más acerca de las leyes de la Gestalt y su utilidad para entender todos los tipos de percepción. Algunas tienen que ver con el aprendizaje:

- Ley del parecido: Toda imagen evoca a aquellas que se le parecen
- Ley del contraste: una imagen evoca a la contraria

- Ley de continuidad: una imagen evoca a otra próxima en el espacio o en el tiempo
- Ley de las relaciones: una imagen evoca otras que tiene relación
- Ley del interés: una imagen se une a un objeto muy fuertemente si la emoción sentida es agradable.

Varios de los problemas por los cuales el éxito en el estudio se diluye, se le atribuyen a la falta de atención o concentración. Pero, como vemos, hay diferentes funciones que la mente hace para lograr la comprensión.

Hagamos un ejercicio: Usted está leyendo ahora estas líneas. Ahora escuche (perciba) todos los ruidos a su alrededor. Seleccione alguno que le sea más notorio. ¿Qué es? Bien, ahora usted puso su atención en "ese" sonido. Para esto hizo un ejercicio de focalización y concentró su mente en un sonido.

Esto es lo que debe hacer nuestra mente al estudiar un tema. Concentrar nuestra atención en la lectura o en la clase, sin importar otras cosas. Además, debemos sostener la atención al estudiar o escuchar una clase. Para esto necesitamos desarrollar nuestro interés.

Hay materias o lecturas que no son interesantes pero son obligatorias, por tanto el interés estará puesto en cumplimentar esa instancia. Por ejemplo: si usted estudia periodismo tendrá materias como filosofía o economía. Estas quizás, no son materias interesantes para quien imagina hacer entrevistas en un programa de radio. Pero están en la currícula porque hacen al interés general y sobre todo aportan al desarrollo del pensamiento. Además, quizá el futuro le muestre al periodista que en un programa de radio necesita leer estadísticas o tener una columna sobre temas filosóficos o éticos. Por tanto, será necesario escuchar unas clases, leer unos libros y rendir unos exámenes. Esto requiere algún método de estudio que usará de las ganas por concluir la carrera más que por el interés en esas materias. El entusiasmo por concluir, por ejercer, por capitalizar logros u otra motivación, debe estar siempre en mente y más aún cuando se hace difícil alguna lectura o etapa de la carrera.

Cuando algo nos preocupa o vienen reiterados pensamientos que distraen nuestra atención en el estudio, es necesario dejarlos fuera de la mente. Para ello siempre debemos tener a mano lápiz y papel cerca, ya sea una libreta, agenda o tarjeta para anotar las ideas que nos interrumpen. Ejemplo: "llamar a…", "decidir fecha de…", "comprar…" Así, en nuestros descansos entre bloques de estudio hacemos esas pequeñas tareas. Evitá distracciones externas como llamadas de amigos, interrupciones de familiares, ruidos, objetos de la habitación, el celular, falta de apuntes, etc.

Asimismo, evitá distracciones internas: Fantasías, preocupaciones, recuerdos, hambre, sed, sueño, calor, frío, cansancio. Es imposible estar fatigado y concentrarse. Por lo tanto, hay que descansar si se está muy cansado. Es sueño es vital. Te recomendamos dormir 8 horas, jamás menos de 6. También el horario en que dormís es importante, mantené el ritmo, no hagas desarreglos porque tu mente pierde concentración.

Realizar un estudio activo fomenta la concentración. Por ejemplo: tomar notas, apuntes, subrayar, hacer esquemas. El aburrimiento también perjudica a la concentración. Cambiá de materia o de actividad. Alterná materias de distinto tipo: Ciencias/Letras ó Teoría/Práctica. Hacé bloques de estudio. Hacé los ejercicios de las Fichas N°11 y 12 para aumentar la atención y la concentración.

Motivación y Voluntad

La actitud hacia lo que se estudia es fundamental. Si algo te gusta, o te parece útil, o interesante, lo aprenderás mejor. Está claro. Ponete objetivos realistas. Ejemplo: leer tres páginas de Lengua y hacer los ejercicios puestos en clase. Podemos aumentar la motivación dándonos recompensas, cuando logremos un objetivo que nos hayamos marcado: contar 15 minutos de relax o distensión, comer algo, escuchar música un rato, llamar a un amigo.

La fuerza de voluntad es la madre del éxito. La voluntad se desarrolla repitiendo actos positivos, que sean beneficiosos, aunque no te gusten o que te cuesten esfuerzo. Poco a poco te acostumbrarás. Fijate en la recompensa final, no en la que obtenés a corto plazo. Ponete objetivos posibles, cuyo cumplimiento se pueda comprobar fácilmente. Así no te podrás autoengañar como que después de no ir a los exámenes de 5 materias, te pones por objetivo aprobarlas todas para la próxima semana de finales. Si no aprobás, podés frustrarte. Sé firme para cumplir tus objetivos.

Una tensión excesiva a la hora de estudiar es muy perjudicial. Aprender a relajarse es muy importante para...

- Mejorar la atención durante las clases.
- Evitar quedarse en blanco en un examen u otra situación.
- Disminuir la tensión en época de exámenes.
- Poder dormirnos mejor.
- Afrontar una exposición en clase o una actuación.
- Aumentar la concentración para realizar nuestras tareas escolares.

Leé la Ficha N°10 con indicaciones para relajarte, hacé la prueba hasta que lo aprendas.

LA MEMORIA

Tipos de memoria

La clasificación más aceptada es la de Atkinson y Shiffrin de 1968. Dice hay tres tipos de memoria:

- MEMORIA SENSORIAL: Somos capaces de recordar un dato nada más que por haberlo percibido con nuestros sentidos. Por ejemplo, si nos dicen una frase, podemos justo en ese momento repetirla fácilmente. Si esta se retrasa unos segundos, ya no seremos capaces.
- MEMORIA A CORTO PLAZO: Por la que se recuerda un dato hasta minutos después de haberlo captado. Si nos dicen la dirección o el teléfono de una persona seremos capaces de recordarla si no pasa mucho tiempo.
- MEMORIA A LARGO PLAZO: Por la que se recuerda datos aprendidos hace mucho tiempo. Es la más importante para el estudio.

Lo importante para el estudio es que los datos almacenados en la memoria a corto plazo pasen a la memoria a largo plazo. El que la memoria a corto plazo pase a ser a largo plazo depende fundamentalmente de si la asimilación ha sido significativa o no. (Aprendizaje Significativo, David Ausubel)

- *Significativa*: relacionándose con los conocimientos previos.
- *No significativa*: sin conexión con lo que ya conocemos.

Hay muchos factores que influyen en la memoria. Factores SUBJETIVOS, como la comprensión de la información, la atención que se presta, el interés en retener información, la actitud hacia la información, la intención de aprender. Y otros factores OBJETIVOS que tienen que ver con la organización y claridad de la información, la capacidad del individuo, el tiempo disponible. La información que más se destaca, se retiene mejor.

En la "Utilización de técnicas para memorizar" influyen tres procesos (Hernández y García, 1991)

- REPETICIÓN: la técnica más sencilla para memorizar es repetir.
- INTERÉS: lo que interesa se retiene mejor.
- ASOCIACIÓN O AGRUPAMIENTO:
  - Superficial. Ejemplo: palabras que se parecen: Río Yang-Tse con YA SÉ
  - Profunda: Ejemplo: asocio Obama con Mandela (presidentes negros)
  - Procedimental y vivencial: Ejemplo: Cristóbal Colón porque vivo en San Cristóbal

Funciones principales del cerebro

El cerebro, compuesto por un billón de neuronas y tiene una habilidad infinita marcada por cinco funciones principales:

1. **Recepción:** A través de los sentidos (gusto, tacto, vista, olfato, oído).

2. **Retención:** Memoria retentiva.

3. **Análisis:** Proceso de la información.

4. **Emisión:** Modo de comunicación; acto creativo, pensamiento.

5. **Control:** Funciones mentales y físicas.

Es necesario comprender que la memoria no es una función aislada de la mente sino que viene encadenada a un proceso que debemos conocer para luego analizar función por función y ver dónde puede estar el inconveniente que en general atribuimos a la mal afamada "falta de memoria".

La memoria es un verdadero sistema al que hay que conocer para poder utilizar. El proceso que la mente hace es tan habitual que nunca se repara en ello. Luego de percibir, lo primero es atender para luego orientarnos y hacer foco. Una vez que definimos lo que interesa, esta información entra a nuestra memoria a través del aprendizaje formal, el aprendizaje informal o por la experiencia. Será necesario no olvidar que los guiones o patrones previos aprendidos desde nuestro nacimiento y crianza van a influir en todo el proceso. A partir de allí, los mecanismos centrales de clasificación seleccionarán en qué lugar de la memoria lo archivarán. Al igual que en una computadora, nuestro cerebro tendrá todo a disposición si lo tenemos ordenado y bien clasificado para encontrarlo en nuestro "disco rígido" y hacer el pasaje de la mente a la acción.

Este *feedback* que hacemos para recordar un dato (como un número telefónico), nuestro cerebro lo hace también con nuestro cuerpo. Este último tiene memoria, hacé este ejercicio:

Golpeá ligeramente su brazo con cuatro dedos. Percibí las sensaciones inmediatas, observando como se desvanecen, de forma que al principio se pueda retener la sensación real de la presión, pero después sólo queda el recuerdo de haber sido golpeado.

La memoria sensorial del instante, debe integrarse con la de corto plazo para enviarla a la de largo plazo y almacenarla de manera tal que pueda ser recuperada en cualquier momento. Los procesos se resumen a:

1. **Registrar:** la memoria se sirve de los sentidos para recoger los hechos y datos que luego serán nuevamente elaborados por la mente con el objetivo de entender la información adquirida.

2. **Almacenar/Conservar/Fijar:** implica la retención de impresiones recibidas. La asimilación se consuma al poder interconectar y combinar variables mentales, que se relacionan bajo la lógica de ideas.
3. **Rememorar/Evocar:** reconocer los hechos o imágenes pasados, llevándolos a la luz de la conciencia. La rememoración después de un intervalo de tiempo es, a menudo, una reconstrucción a partir de recuerdos del pasado[4].

La función de evocar o rememorar parece ser siempre la que más nos cuesta, pero debemos entender que si el registro o el almacenamiento no es bueno, nos será muy difícil recordar algún tema o dato en un examen, Para ello enseñamos a jerarquizar la información y diagramarla en mapas conceptuales que permiten una inscripción por asociación de ideas en el hemisferio izquierdo del cerebro y mediante la visualización en el hemisferio derecho potenciando así la memorización por esta doble huella mnémica.

Es decir, que la memoria que necesitamos desarrollar es inteligente porque trabaja sobre las ideas que luego se representan en palabras claves las que son grabadas en ambos hemisferios por la vía antes señalada. La vía del hemisferio izquierdo es la del *concepto* es decir la *utilidad*, la del derecho es la *imagen* y por lo tanto de la *belleza*, de la *forma*. Juan Amós Comenio (1592 – 1670) instauró la imagen en la enseñanza; hoy, en la era de la imagen rápida (flashes televisivos, publicidad, Internet, juegos) queremos que el alumno aproveche la imagen en su particular manera de estudiar.[5] Ejemplo: cuando vemos la película de un libro que leímos o viceversa, entendemos lo que es la diferencia entre texto e imagen.

Memoria y Olvido

El olvido y la memoria son funciones que pueden ser complementarias o competitivas y que trabajan en un territorio común. El enfoque sistémico propone que el olvido es funcional para evitar la sobrecarga, aunque también puede impedir recuperar un recuerdo clave.

Existe una fórmula para evitar que ese proceso natural se consolide. Se trata de programar los repasos en el período inmediatamente posterior a la adquisición. Esta etapa es clave en el presente curso de método de estudio.

El primer estudio importante en este campo lo realizó el psicólogo alemán Hermann Ebbinghaus, autor de *Sobre la memoria* (1885). No es el propósito de este material aprender a graficar la curva del olvido ni los procesos cognitivos de cómo olvidamos, sino por el contrario, aprender a recordar, mas bien hablaremos de cómo intensificar el recuerdo de lo leído o estudiado. Sin embargo, la mayor pérdida de memoria se produce dentro de las ocho horas de ocurrido el suceso. En los 30 días siguientes la disminución es mucho más leve y el resto –lo que queda- se mantiene relativamente estable. Por eso, sucede normalmente, que en unos días o semanas suele olvidarse la mitad de lo que se ha aprendido, a no ser que esto sea repasado. La velocidad con la que se olvida depende de diversos factores, como la dificultad de la materia y los factores fisiológicos (el estrés y el sueño, entre otros). El ritmo de olvido es prácticamente el mismo para todas las personas. La diferencia de rendimiento (por ejemplo: en la escuela) podría depender de qué representaciones mnemónicas hace cada individuo. Esto significa que unas personas "crean" su memoria de forma más efectiva que otras.

El aprendizaje de las técnicas mnemónicas básicas puede ayudar a allanar tales diferencias, al menos en parte. La manera de mejorar la intensidad del recuerdo implica:

1. Mejorar las representaciones mentales (por ejemplo: mediante reglas mnemotécnicas).
2. Repasar en base a intentos activos de recordar la materia (especialmente al repasar en forma espaciada).

Conviene diferenciar el repaso mecánico basado en la cantidad de repeticiones, de la reconstrucción activa. Las huellas en la memoria se profundizan si la recuperación de su contenido se intenta con un enfoque activo ya sea oral, mental o por escrito y no releyendo pasivamente el material.

Pero no basta con un buen repaso para activar las neuronas. Para lograrlo, es muy importante la forma en que se realizó el proceso de aprendizaje. Recordá que "no hay una segunda oportunidad para la primera impresión". Las pistas, o rastros generados son los que permitirán en el momento de la evocación provocar el contexto que facilite la reaparición del material que se busca. Otra clave radica en la forma en que se procesó y almacenó el mapa jerárquico de los conceptos.

Cuando por diversos factores lo que precisamos no aparece o se hace inaccesible, como ocurre con la sensación "lo tengo en la punta de la lengua", esforzarse puede ser contraproducente. Por ello es que, en una evaluación escrita, conviene seguir adelante con otra pregunta y volver al rato a la que quedó incompleta.

La curva del olvido existe pero es posible dominarla. Debemos considerar a la memoria como un sistema que se construye y no como una caja negra ingobernable. Para ser buen estudiante no hace falta tener buena memoria. Pero sí es cierto que la memoria es una herramienta útil para el estudiante. ¡Desarrollala! Es como la musculatura: Cuanto más practicás, más se desarrolla. Se memoriza mucho mejor si se comprende. Es más, si no comprendés, te servirá de poco memorizar.

- **Visualizar** el significado de la palabra a memorizar, ayuda bastante. Es más fácil recordar la imagen de una escoba que la palabra "escoba". Algunas técnicas se basan en esta idea.
- La **asociación** suele ser útil. Tratá de asociar lo que querés recordar con algo fácil de recordar. Ejemplo: si tu amigo vive en el piso 9º, letra b; leé junto 9ºb: noveno be, que es como decir "no ve, no ve". Podés aprovechar la *etimología* (origen) de la palabra. Por ejemplo equilátero: equi (igual) - látero (lados) : que tiene los lados iguales.
- La **repetición** es frecuentemente la forma más fácil de memorizar. Puede ser oralmente, por escrito, repitiendo un dibujo, diagrama. El *interés o motivación* en lo que se memoriza es fundamental. Por ejemplo, un niño que dice tener mala memoria es capaz de aprenderse de memoria el nombre y características de cientos de Pokemon. Todos conocemos personas con estudios universitarios que son incapaces de retener en la memoria durante un tiempo varios números de teléfono.
- **Entender y practicar.** Lo que se entiende tarda en olvidarse. Lo que se practica tarda en olvidarse mucho más.
- La **memoria fotográfica** es útil. Permite recordar gran cantidad de información de un vistazo. A la hora de recordar, evocás en tu mente la imagen y de esa evocación extraés información, que puede ser, por ejemplo, la estructura de un tema. Podés favorecerla, preparando tus apuntes, esquemas de forma visual.
- Es conocida la influencia de la **actitud** ante lo que se estudia sobre la cantidad de información recordada. Tratá de convencerte de que lo que estás memorizando te interesa realmente.

- Llevá una **agenda**. ¡Y usala! Para los estudios es muy útil: apuntar tareas, exámenes, trabajos, notas, comentarios. Sacá la agenda cuando el profesor manda una tarea. Si esto lo hacés unas cuantas veces, se convertirá en un reflejo automático. El esfuerzo consiste en realizarlo las primeras veces.
- **Hacer listas** de lo que se debe recordar. Así, al menos, no se te olvidará lo más importante. Deja señales para acordarte. Por ejemplo, pegá una hoja con un mensaje en la puerta de salida o delante del reloj despertador.

Practicá con la Ficha N°13

LA MENTE

Basados en los principios mencionados hasta aquí, les presento al autor Tony Buzan quien ha escrito acerca de los Mapas Mentales (lo vimos en Esquemas, Cartografía Mental). Buzan nos recordá que la inteligencia humana es ilimitada, y que sólo nosotros marcamos los límites de nuestra creatividad, al emplear para expresarnos solamente la palabra. El lenguaje es la expresión de nuestra mente, pero no sólo el lenguaje hablado sino la expresión en todas sus formas, con o sin palabras. Partiendo de la necesidad de descubrirnos y enseñarnos a manejar todo el potencial de nuestro cerebro, nos enseña las tres "A").

- **Aceptar:** Primera fase de nuestro aprendizaje. Olvidar los límites, imaginarios, de nuestra capacidad mental
- **Aplicar:** Segunda fase de nuestro aprendizaje. Aplicar las leyes de la cartografía mental,
- acostumbrándonos a utilizar los mapas mentales siempre que tengamos que tomar notas o preparar conferencias, resúmenes, ensayos, etc.
- **Adaptar:** Tercera fase de nuestro aprendizaje. Trabajo continuo con mapas mentales, con la finalidad de potenciar al máximo nuestras habilidades de cartografía mental.

La información es el sistema de procesamiento del cerebro. ¿Qué sucede en el cerebro cuando saboreamos una fruta madura, aspiramos el perfume de una flor, escuchamos música, acariciamos a un ser querido o, simplemente, evocamos un recuerdo? La respuesta es, al mismo tiempo, simple y asombrosamente compleja. Cada bit de información que accede al cerebro, es decir, cada sensación, recuerdo o pensamiento (lo cual abarca cada palabra, número, código, alimento, fragancia, línea, color, imagen, compás, nota y textura) se puede representar como una esfera central de la cual irradian decenas, centenas, miles, millones de enlaces.

Cada eslabón representa una asociación, y cada asociación tiene su propia e infinita red de vínculos y conexiones. El número de asociaciones "usadas" se puede considerar como tu memoria, tu base de datos o tu biblioteca[6].

Este sistema multienlazado y multiordenado forma "mapas mentales" que se amplifican e irradian nueva información. En estos mapas se emplean todas las habilidades corticales, lo cual potencia el recuerdo. Se activa el cerebro en todos los niveles, fortaleciendo su estado de alerta.

Formado por un diseño atractivo, encuentra la atención del cerebro, y así se consigue un método de evocación que incrementa la confianza del individuo, lo motiva y activa de forma asombrosa su funcionamiento mental.

Los contenidos de nuestra mente pueden ser:

Leé la Ficha N°6 para aprender acerca del pensamiento lateral.

INTELECTUAL:	EMOCIONAL:	EVALUATIVOS:
Formales	Expresivos	Autoestimaciones
Creativos	Intensivos o básicos	Heteroestimaciones

REGLAS MNEMOTÉCNICAS

No todas las materias se estudian de la misma manera. Para estudiar literatura, se debe estar atento al relato de un libro, pero para estudiar biología o química será necesario memorizar nombres y fórmulas.

Por tanto, la manera de resumir será diferente: para un largo texto pueden hacerse notas al margen con nombre de personajes o señalar los conceptos más importantes. El uso de marcadores de colores sobre un texto ayuda a no tener que transcribir y perder tiempo en escribir lo escrito, y suele ser muy útil en materias que tiene fotocopias de capítulos adjuntar una hoja adelante para escribir los conceptos más importantes de ese texto.

Como vimos, un esquema soluciona los problemas de memorización: los cuadros de doble entrada suelen ser un resumen perfecto para comparar. Ej. Que dicen los 10 filósofos estudiados acerca ¿del hombre?, ¿del mundo?, ¿del gobierno? etc. En una entrada están los temas y en otro estarán los autores.

Filósofos	Dios	El mundo	El hombre	El gobierno
Sócrates				
Platón				
Aristóteles				
Kant				
Descartes				
Marx				
Parménides				
Santo Tomás				

San Agustín				
Sartre				

Esto es un fácil resumen para un examen final de filosofía, de antropología filosófica, de ética, de psicología general, etc. donde hay muchos conceptos y muchos autores. Se sugiere usar un color y un tipo de letra diferente por autor o por tema para recordar mejor usando tu percepción visual.

Hay materias para comprender o conocer globalmente un tema y otras donde se impone memorizar. Para esto veremos reglas que te servirán:

1. Si debés memorizar ubicaciones. Ej. Un mapa geográfico, secciones del cuerpo humano, etc. debés mirarlo detenidamente y reproducirlo en una forma sencilla.

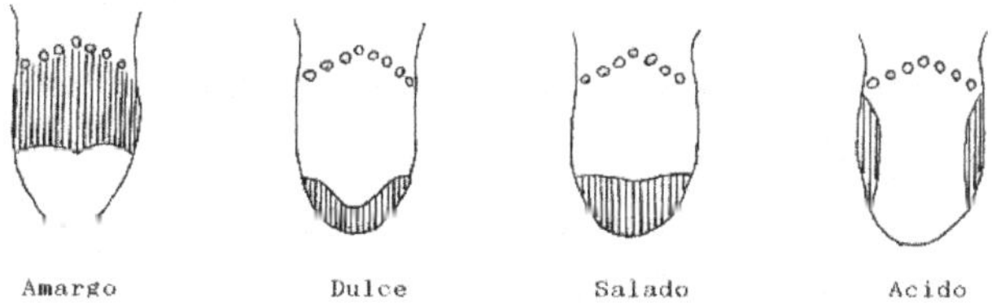

Zona de máxima sensibilidad gustativa de la lengua

2. Si debés memorizar palabras poco usuales o nombres tenés que usar las iniciales o la primera sílaba y combinarlas de acuerdo a una palabra (coherente o pegadiza) o respetar el orden reemplazando las iniciales o sílabas por palabras más conocidas. Ej. Armar un acróstico, si es necesario, respetando el orden a los filósofos mencionados antes.

   SoPla ArisKa DeMar PaTo AguSar

Esta técnica es muy útil para palabras nuevas como elementos químicos, fármacos, neuronas, etc.

- Si debés memorizar un texto completo como una poesía o concepto, tenés que leer una sola vez de corrido y prestando atención a TODO, no sólo a una parte. Luego escribí sin mirar el original todo lo que recuerdes y dejá en blanco las partes que no. No importa si solo escribís palabras sueltas. Tratá de ubicar visualmente dónde estaba el orden. Ahora volvé a leer la poesía prestando atención a la palabra que falta. En una nueva hoja escribí todo lo que recuerdes. Así hasta completar en tu mente el total. Prueba con este Salmo de David:

1 Bendeciré a Jehová en todo tiempo; Su alabanza estará de continuo en mi boca.

2 En Jehová se gloriará mi alma; Lo oirán los mansos, y se alegrarán.

3 Engrandeced a Jehová conmigo, Y exaltemos a una su nombre.

4 Busqué a Jehová, y él me oyó, Y me libró de todos mis temores.

5 Los que miraron a él fueron alumbrados, Y sus rostros no fueron avergonzados.

6 Este pobre clamó, y le oyó Jehová, Y lo libró de todas sus angustias.

7 El ángel de Jehová acampa alrededor de los que le temen, Y los defiende.

8 Gustad, y ved que es bueno Jehová;Dichoso el hombre que confía en él.

9 Temed a Jehová, vosotros sus santos, Pues nada falta a los que le temen.

10 Los leoncillos necesitan, y tienen hambre; Pero los que buscan a Jehová no tendrán falta de ningún bien.

Podés notar que ponerle números y separarlo en secciones hace más fácil la memorización.

- Otra manera de memorizar, es encadenar las palabras más importantes de una frase o concepto. Se puede destacar las palabras claves. Prueba con San Juan 14:26.

  Mas el Consolador, el Espíritu Santo, a quien el Padre enviará en mi nombre, él os enseñará todas las cosas, y os recordará todo lo que yo os he dicho.

  Repite: *el Padre: enviará, enseñará, recordará.*

- Otras maneras para recordar:
  - Repetir una parte e ir añadiendo más secciones
  - Clasificar por conceptos.
  - Agrupar por similitudes

Asociar

Asociar una información nueva con otra ya conocida es una de las maneras más eficaces de memorización: una imagen con una palabra, dos imágenes entre sí... especialmente para diferenciar palabras parecidas como Aurícula y Ventrícula (A V). Escalactitas y Estalagmitas (T M). Veremos las gráficas e imágenes en el curso.

Asociar letras a números

Los números (fechas, teléfonos, constantes en física...) son difíciles de recordar. Esta técnica consiste en convertir números a letras (basándonos sobre todo en su parecido físico y su sonido). Las palabras que se forman se recordán mejor, quizás porque tengan algún sentido o nos recuerden alguna palabra con sentido. Así lo hacen las empresas: su teléfono es el uso de las letras de tu móvil que forman su marca. Ej: 0-800-222-AGUA (2482)

No debemos limitarnos a utilizar las técnicas conocidas para recordar datos. ¡Sé creativo, inventá tus propias técnicas!

Cadena de imágenes o para armar la historia

Se trata de encadenar imágenes con palabras; como una escena de película. También se pueden asociar lugares, voces, etc. ¡Es una técnica magnífica y divertida! Ejemplo:

perro

mono

cigarro

verde

Imagina esto:

Un PERRO al que se ha subido un MONO encima. El mono se está fumando un CIGARRO de color VERDE.

LOS RESÚMENES

Ventajas de elaborar resúmenes:

- Te obliga a realizar un estudio activo (relacionar, comprender, sintetizar).
- Te obliga a encontrar la lógica del texto.

Los inconvenientes de hacer resúmenes son:

- Necesitas tiempo.
- No se aprende visualmente.
- Por lo general se pierde información valiosa.

Es mejor un esquema que un resumen. Al leer, subrayá de tal modo que las palabras marcadas tengan sentido por sí mismas. Así, prácticamente ya tenés un resumen o directamente podés hacer tu esquema.

Usá las Fichas Nº14 y 15 de práctica de resúmenes

LOS TRABAJOS ESCRITOS

Muchas materias tienen una nota parcial o final con un trabajo escrito. Algunas veces puede elegirse el tema, otras veces la cátedra lo asigna. Algunos puntos importantes acerca de los trabajos escritos:

- Debe tenerse en cuenta la cantidad de páginas requeridas
- Debe tenerse en cuenta la fecha de entrega, la forma de presentación
- Se debe revisar el programa o instructivo para saber que pretende el profesor
- Saber si debés usar bibliografía de la cátedra o además bibliografía extra
- Respetar un buen fichado acortará los tiempos de escribir

Cada trabajo escrito debe tener una carátula clara y con los siguientes datos: Institución, Materia, Nombre (bien escrito) del profesor y/o jefe de trabajos prácticos, Fecha, Nombre/s de alumno/s, título del Trabajo y Subtítulo (ej. Titulo: "Presidentes Democráticos Argentinos del Siglo 20". Subtítulo: "Una mirada a la personalidad de los mandatarios") el título es lo global, el subtítulo especifica. O bien como se indique en el instructivo.

Preparación de un portafolios o porfolio

Actualmente algunos profesores indican, desde el principio de la materia, la creación personal o en grupo, de un portafolios. Es una carpeta (o portafolios) que deberá presentarse al final de la cursada que debe incluir todos los trabajos escritos, actividades prácticas de clase, informes, notas, etc. Este método de evaluación está pensado para que el alumno pueda "estar al día" y no espere hasta el final para empezar a estudiar.

Durante el cuatrimestre, se fijan una o dos instancias de tutoría para que el profesor revise el material, el alumno pregunte dudas, etc. esto activa al alumno en el cumplimiento. La ventaja de esta metodología de evaluación es que el alumno está conectado con el programa y sabe qué se va a enseñar, se familiariza con los textos y autores.

Una forma creativa de hacer una instancia de evaluación o tutoría por ejemplo en una materia de la carrera de fotografía puede ser la presentación de trabajos prácticos (fotos) en una exposición. La tutoría puede ser individual o grupal, debe dedicarse unos 10 minutos como máximo por alumno. Puede hacerse durante el horario de clases o extraclase.

- Implica compromiso activo de estudiantes y docente.
- Demanda diálogo durante la construcción
- Requiere establecer acuerdos
- Favorece la autoevaluación
- Se aplica creatividad y flexibilidad

Fichaje o fichado

Aprender a fichar todo el material que se va leyendo para preparar cualquier trabajo práctico sirve para tener la bibliografía casi lista a la vez que hacés tu trabajo escrito.

Siempre en letra clara o directamente en la computadora los datos completos y una frase que indique qué leíste de importancia o el tema general en un breve comentario para no olvidarlo.

Para cualquier trabajo escrito debés ocuparte en la búsqueda de bibliografía sobre un tema. Es necesario definir el título y el subtítulo para saber los límites de tu trabajo sin perder tiempo en leer y escribir por de más. Si fuese una investigación, revisá la página de Metodología de la Investigación porque el tema será algo inédito y la bibliografía te aportará datos cercanos al tema.

Si el trabajo pedido fuera mayor a 20 páginas la búsqueda deberás apuntar a libros que concretamente desarrollen el tema. En cambio, si tu trabajo es más acotado, podés buscar artículos, capítulos, secciones o notas de libros. Este mismo criterio se aplica a la lectura de libros electrónico o trabajos de otros en Internet y además debés tener en cuenta que los trabajos que leas sean sobre la misma materia o similar. Ejemplo: si encuentras en Internet un trabajo sobre el primer discurso del presidente Obama, revisá si fue analizado para una materia sobre política, sociología, lingüística, economía, etc.

Mientras buscás y vas hojeando o leyendo a primera vista, tenés que ir haciendo el fichaje del material. Así cuando tengas decidido el enfoque y te pongas a escribir, ya sabrás donde encontrar los mejores párrafos y llegando al final sólo tenés que adosar la bibliografía. Esto evitará la duda de "¿Dónde lo leí?", "¿Qué autor hablaba sobre eso?"

Si tu trabajo es un tema conocido y quizá ya estudiado en clase, una buena idea es buscar dos autores (o más acotado: un libro de cada autor) y exponés sus ideas acerca del tema. Ejemplo: Título: "La Equinoterapia en el Síndrome de Down". Subtítulo: "Según XXXX y FFFF" y en la Introducción podés aclarar que te ceñirás a los libros YXYX del autor XXXX y al libro FDFD del autor FFFF. Así, tu bibliografía será de esos únicos dos libros y podés exponer dos miradas o harás la comparación entre ambos.

Otra idea puede ser ampliar un tema o la Unidad que más te haya gustado de esa materia tomando como base la misma

Bibliografía de la Cátedra y agregando algo más si el profesor lo solicita. A veces, los trabajos monográficos pequeños no necesitan más que eso.

Una buena costumbre es empezar a pensar el trabajo práctico inmediatamente te enteres que tenés que hacerlo. Podés usar una libreta y cada vez que tengas una idea, anotarla. Al sentarte a elegir el tema hacé una tormenta de ideas personal (*brainstorming,* método desarrollado por Alex Osborn) y anotá todo lo que te venga a la mente y hacelo junto con tu grupo si el trabajo fuera grupal. Verás que luego de definir el tema, te irán apareciendo "coincidentemente" notas, libros o comentarios que tienen que ver con tu tema y así "casi por si sólo" se va armando tu trabajo práctico. De esta manera tendrás material para empezar.

Si no vas armando un fichaje Bibliográfico, corrés el riesgo de copiar sin citar, de perder tiempo apilando libros o apuntes hasta terminar y luego no recordar cuales usaste y cuales no. No se trata de presentar una Bibliografía abultada para un trabajo pequeño, sino que la bibliografía represente verdaderamente los libros consultados.

Algunos ejemplos del fichado[7]:

Libros:

Título:	Técnicas de estudio. Guía del estudiante.
Comentario:	Un libro bastante moderno y completo.
Autores:	Benito, M. y Lorenzo, N.
Editorial:	Océano.
Ciudad y fecha de edición:	Barcelona 2002.

Título:	Inteligencia emocional.
Comentario:	Un libro muy interesante. No es específico sobre estudio
Autores:	Goleman, D.
Editorial:	Kairos.
Ciudad y fecha de edición:	Barcelona. 1996

Páginas Web:

CNICE. La web del estudiante
Excelente web del CNICE (que pertenece al Ministerio de Educación y Ciencia Español) centrada en el fundamental aspecto de la

motivación, los exámenes y las técnicas del trabajo intelectual.
http://www.cnice.mecd.es/recursos2/estudiantes/aprender/op_00.htm

Del Mº de Educación de Costa Rica
Página resumida sobre técnicas de estudio de esta Institución.
http://www.mep.go.cr/estudiantes/TecnicasEstudio.html

Ensalada de artículos
Muchísimos artículos interesantes para alumnos, padres y profesores.
http://perso.wanadoo.es/angel.saez/pagina_nueva 59.htm

En la Ficha Nº16 encontrarás las características que deben tenerse en cuenta al hacer una Bibliografía.

LA INVESTIGACIÓN

Casi todas las carreras de grado tienen una materia sobre Investigación (por ejemplo, Metodología de la Investigación). Cada facultad en la Argentina está obligada hoy a tener un departamento de investigación. Aquí veremos que además de cumplimentar una materia, nuestra propia carrera se enriquece si hay temas que nos interesaran de especial manera. Son esos temas que estudiamos porque están en la currícula pero le prestamos más atención o buscamos más bibliografía o nos detenemos más en la lectura.

El método de fichaje durante la carrera es importante para archivar aquello que más nos atrae como tema para una investigación final. Es recomendable tener una caja especial donde poner recortes o dejar las fotocopias o libros terminada la materia. Guardar las fichas que escribís con todos los datos precisos para la bibliografía por si el libro o apunte queda perdido con el tiempo.

Abrir desde el principio en la computadora una carpeta que diga "Investigación" o "Trabajo de Integración Final" para ir archivando aquellas cosas que nos interesan porque de allí seguramente saldrá nuestra tesis o tesina.

Hacer una investigación o tesis final lleva mucho tiempo y sobre todo decidir el tema de la nada es engorroso. Pero, si el estudiante va prestando atención mientras cursa materias, al final sólo será deberá escribir en base a materiales ya archivados.

Cuando se opta por un tema, suele ser muy grande para desarrollarlo. Si se elige hacer una investigación sobre el HIV primero se debe saber que el enfoque tiene que coincidir con la carrera que se cursa. Suponiendo que sea medicina, el tema tratará las maneras de contagio pero este debería ser reducido al HIV en cierto país o cierta zona. Además, se puede (y se debe por cuestiones de tiempo) limitar por género, franja etárea, condición sociocultural, condición económica, entre otras variables. Entonces, una vez elegido el tema, lo más importante es el recorte a realizar. De acuerdo a las páginas que se demanden desde la cátedra, se acotará el tema para que el trabajo tenga la profundidad deseada.

Conseguir información: Ideas generales

Algunas fuentes de información posibles: Libros (diccionarios, enciclopedias, anuarios, textos, atlas, guías), periódicos, museos, Internet, vídeos, películas, CDs, organismos oficiales, ONGs, empresas, centros de investigación, universidades, bibliotecas, teléfonos de información, televisión, revistas (especializadas, de divulgación), mapas, tu propio profesor... NO OLVIDES FICHAR TODO LO QUE LEAS.

Tené cuidado con la imparcialidad de la fuente. Especialmente si buscás información sobre un tema polémico, tené en cuenta que la información puede ser interesada, no imparcial (ej. La opinión sobre un medicamento en una página del laboratorio que lo fabrica). Las mejores fuentes, en estos casos, son los centros de investigación y las universidades. No creas que todo lo que veas o leas. Desarrollá tu espíritu crítico. Podés dar una información que sospeches contaminada, pero cita la fuente.

Inconvenientes de Internet. La información puede ser poco fiable o totalmente falsa. Fijate bien de quién depende la página web que consultas. La información no sigue una secuencia lineal, como en un libro, al poder saltar de un enlace a otro. Puede que pierdas la información más importante o que no llegues a entender lo que quieren explicarte. Obviamente, hay muchas distracciones. Si te distraés al saltar de página en página, alejándote de tu objetivo, podés perder más tiempo del que ibas a ahorrar usando Internet. Además, existen las tentaciones de ponerse a jugar, chatear o revisar mails.

Atención: Actualizá tu computadora con un buen antivirus. Aprendé a conocer los recursos que te ofrece: traductores, diccionarios, búsqueda de imágenes, enciclopedias. No abuses de los chats o foros. Es gente desconocida. Podés enviar correos a los autores de determinadas páginas para recabar información. Sé educado. También podés inscribirte a un foro y consultar a sus miembros sobre temas específicos de investigación. Aprendé a usar bien buscadores como Google y Yahoo.

CDs/DVDs temáticos y enciclopedias son muy útiles por la cantidad y calidad de la información y la facilidad de búsqueda. Aunque son caros, a veces están disponibles en bibliotecas públicas. Citá las fuentes. Películas y videos son útiles, especialmente los videos de documentales.

Los periódicos no sólo son interesantes por las noticias, sino también los informes monográficos o infografías sobre temas concretos. Buscá en hemerotecas. También son interesantes las ediciones digitales, que permiten una búsqueda fácil.

Las revistas especializadas y semanarios ofrecen información de calidad sobre diversos temas: naturaleza, literatura, arqueología.

Cada cátedra tiene su instructivo sobre la presentación pero, si no lo entregaran, sigue este orden básico:

Portada o Carátula: Con TODOS los datos: título, nombres, apellidos (de todos los que participan en la Investigación), profesor, materia, curso, clase, número, colegio o universidad.

Índice: Debe estar detallado y claro. Es mejor hacerlo al final de todo ya que los números de las páginas pueden variar en el último momento al sumar un párrafo nuevo, una ilustración... o directamente hacelo con Word (Insertar > Referencia > Índices > Tablas)

Introducción: No más de dos hojas. Sirve para presentar brevemente el tema y los objetivos. Podés explicar la elección del tema, que te motivó a investigar.

Capítulos o Desarrollo: Deben respetar la estructura y extensión correctas. Los títulos y subtítulos deben guardar un orden lógico.

Conclusión: Una hoja es suficiente. Puede hacer referencia al contenido (como una especie de resumen) y en cuanto al aspecto personal: tu opinión, lo que has aprendido...

Bibliografía: Se trata de detallar, por orden alfabético, Las fuentes utilizadas, por si alguien desease consultarlas. En las páginas web anota la dirección completa. No sirve poner el nombre del buscador utilizado (ej. Google).

Citas: si ponés una frase o párrafo de otro debés de quién es o poner una nota al pie o referencia al final; eso es una cita. De lo contrario la estás presentando como tuya: eso es plagio. Recordá las consignas de poner entre comillas las citas textuales.

Grupos de trabajo: Si el trabajo es en grupo, juntate con personas que tengan responsabilidad para reunirse y tiempo para trabajar.

CÓMO RENDIR UN EXAMEN

Primero revisá la planificación de la materia: unidades que entran en este examen. Leé los objetivos del programa: conocé qué se espera que hagas, lo que logres aprender y demuestres haberlo aprendido. Conocé con claridad los capítulos del libro y los apuntes que entrarán en el parcial, fechas, problemas, dibujos, ilustraciones...

Preguntá al profesor qué tipo será el examen si es oral o escrito. Estas indicaciones serán válidas para ambos casos. Para los escritos hay que estudiar la materia pero:

- Si es de opción múltiple: habrá que estudiar los detalles en profundidad.
- Si es de temas: habrá que tener muy claro el esquema lógico de los temas.
- Si es de preguntas cortas: conocer bien las palabras clave y las definiciones.

Hay que estudiar a diario y la memoria hay que usarla principalmente los días anteriores al parcial para memorizar los esquemas que ya tendrás hechos.

Nunca duermas menos de 6 horas. Si quitás horas de sueño para el estudio cometerás muchos errores en el examen. Si llegaste a ese extremo es porque planificaste muy mal. JAMÁS uses estimulantes o abuses del café. Si eres nervioso, calmate! Si la preparación fue buena irás menos nervioso. Una técnica sencilla de relajación es:

1. Respira hondo. Llena bien los pulmones de aire
2. Deja salir el aire muy lentamente
3. Repite 7 veces. No abuses en hacerla

Buscá otros tipos de relajación en la Ficha N°10

No faltes a clases antes del examen. Se suelen decir cosas interesantes sobre el repaso o el tipo de examen que el profesor tiene planeado.

Un buen dato es consultar a alumnos de años anteriores sobre tu profesor: enterate qué tipo de exámenes hace, qué aspectos de la materia considera más importantes, cómo puntúa, qué no le gusta. Vas a ver cómo redactan las preguntas los profesores. Si los días anteriores en clase se suelen decir cosas muy interesantes. Algunos profesores aprovechan para aclarar dudas. Cuando un profesor, mientras explica, dice "esto es importante", es que tiene muchas posibilidades de ser incluido en el examen. Poné, en el libro o apuntes, una marca a ese apartado.

Durante el examen escrito

Antes de comenzar a escribir...

- Dedicá un par de minutos a relajarte: cerrá los ojos, respirá hondo varias veces.
- Escuchá las indicaciones del profesores (siempre). Son vitales.
- Da un vistazo general al examen para organizarte el tiempo.
- Fijáte cuanto vale cada respuesta (puede figurar o no dependiendo de la cátedra)

Respondé primero las preguntas más fáciles para vos. Poné una marca en las dudosas para volver a verlas después. No dediques mucho tiempo a una pregunta que se resista, pasá a otra y ya la contestarás después. leé muy bien las preguntas hasta comprenderlas. Puede que tengas que leerlas varias veces. Sobre todo los problemas matemáticos.

Contestá exactamente lo que se pide. Si tenés dudas sobre extenderte o no, contestá primero directamente lo solicitado y luego, si querés, ampliá la respuesta.

En las preguntas de verdadero/falso o de múltiple choice, fíjate bien en los adverbios. Son diferentes: normalmente, siempre, a veces, nunca, alguna vez, etc. Leé bien todas las opciones de una pregunta antes de decidirte.

En las preguntas para desarrollar un tema, podés hacer claramente tu esquema o empezá a responder la pregunta estructurando el tema. Contestá con precisión. Fijate lo que te piden. Pueden ser distintas cosas: citar, explicar, comentar, enumerar, dibujar, comparar,...

Un examen escrito tiene que estar legible, prolijo, espaciado, Cuidá la presentación. Es importante que se entienda, es mejor usar corrector, pero si vas de tachar, se tacha así: ~~(Esto está tachado)~~. Si tuvieras que hacer gráficos o usar colores, llevá una regla y colores que no traspasen la hoja. Siempre sugiere escribir en los exámenes de un lado de la hoja, especialmente si solés presionar mucho al escribir.

Si tenés que desarrollar temas en un escrito, usá una hoja por tema. Esto te sirve, porque antes de entregar debés leer todo y es posible que recuerdes algo más para agregar. Revisá de poner tus datos en cada hoja y antes de entregar numera así: si eran 4 temas y tenés 4 hojas debés numerar: 1/4, 2/4, 3/4, 4/4. Es por si al profesor se le perdiera una hoja. Al final firma la última hoja.

Procurá que te sobre tiempo y antes de entregar revisá: La ortografía (sustituyendo las palabras dudosas por sinónimos). Las operaciones, los cálculos, la redacción. ¿Quédan preguntas sin contestar? Mirá el reverso del examen. ¿Pusiste corrector y luego te olvidaste de escribir? ¿Pusiste el nombre? Releé el examen.

Destacá de alguna manera las ideas principales. Por ejemplo, subrayando. El profesor se dará cuenta no sólo de lo que sabés sino además que distinguís lo que es importante.

Además de temas a desarrollar, preguntas, evaluación de opción múltiple (Múltiple Choice), verdadero-falso, SI-NO. Existen otros tipos de evaluación que intercalan estas modalidades. Para eso, fijáte cuanto vale cada modalidad antes de empezar. Esto es porque a veces te explayás mucho en las preguntas y no te queda tiempo para la SI-NO que puede valer lo mismo. Por eso es mejor siempre mirar todo el examen antes de empezar, así como revisar todo antes de entregar. No te apures a entregar. Es mejor no entregar el examen hasta el final. Puede que el profesor haga una aclaración interesante a mitad del examen. Después de terminar tu examen dejá unos minutos de descanso y repásalo.

Después del examen

Inmediatamente después del examen tratá de buscar las preguntas que no supiste. Así podrás ir valorando tus posibilidades y necesidades para próximos exámenes. Podrás calcular tu nota media. No tires apuntes ni resúmenes.

¿Qué quieren que responda yo, cuando me piden...?

Citar: Simplemente se piden unos nombres. Respuesta muy breve.

Enumerar: Escribir sucesiva y ordenadamente los elementos que te piden.

Relacionar: Asociar dos ideas. Por qué están unidas de alguna manera. Hacer una relación.

Resumir: Se pide redactar un texto que contenga las ideas principales.**Esquematizar:** Haz un esquema. Luego podés comentar las "ramas".

Dibujar: Es eso, dibujar. Podés (y debés) poner nombre a las partes.

Resolver: Se plantea un problema y tenés que dar la solución.

Razonar: Exponer argumentos.

Analizar: Explicar algo llegando al máximo detalle.

Formular: Reducir a términos claros y precisos una idea o explicación.

Señalar: Se pide una respuesta precisa. Si es sobre un dibujo, habría que poner una flecha.

Hacer un diagrama: Un dibujo esquemático que suele tener algo de texto.

Explicar: Contar todo lo que sepas como si el que leé no supiese nada el tema.

Definir: Explicar algo como si fueses un diccionario. Nunca empezar con "es cuando...". Los nombres se definen empezando por un nombre "una silla es un mueble..." y los verbos empezando con otro verbo más amplio "redactar es escribir...".

Describir: Dar las características de algo, como si hubiera que reconstruirlo en nuestra mente.

Exposiciones o exámenes orales

Es muy útil tener en mente un tema preferido para "empezar a hablar" si el profesor te diera la opción. La presentación de tu aspecto, peinado, ropa, etc. "hablan" de vos mientras das un examen oral. Asimismo, la postura corporal, la seguridad al hablar, los términos técnicos correctos. Si al prepararte, hubiese términos que no recordás, escribirlos con letras grandes en una cartulina blanca con marcador de color y dejálo pegado en un lugar a la vista unos días antes del examen, en época de repasos. Un repaso frente a otra persona o frente al espejo te dará seguridad. Si tuvieras que exponer un tema, es aconsejable grabarse para detectar errores propios o muletillas a evitar. Mirar atentamente al profesor titular y de vez en cuando a los ayudantes.

Bloqueo, pánico, nervios son comunes antes de dar un examen pero es imprescindible aprender a dominar estas emociones. Las técnicas de relajación durante el estudio y antes del examen son imprescindibles. Conocelas y utilizalas. Poder dormir bien y alimentarte liviano antes de un examen es fundamental. También debés evitar en lo posible, en época de exámenes, tomar decisiones importantes, hacer viajes, hacer horas extras en el trabajo, etc. Es decir, cuidar el aspecto emocional para no provocarte una sobrecarga de estrés.

Fobia a los exámenes.

¿Quién no se puso nervioso ante un examen? La fobia o ansiedad social es un temor muy grande al rendir un examen. La persona siente un nerviosismo muy alto con bastante anticipación a la fecha de evaluación. Sudoración, insomnio, irritabilidad, angustia, palpitaciones, náuseas, vómitos, mareos, miedos, son comunes sobre todo en personas con altas exigencias, preocupación desmedida por los errores y gran vulnerabilidad a las críticas de los demás.

Este cuadro suele comenzar en la infancia. Los especialistas detectan tres causas:

- La herencia familiar, provenir de una familia con padres ansiosos, temerosos y altamente exigentes.
- Factores sociales-ambientales tras haber crecido rodeado de personas sobreprotéctoras, tímidas y perfeccionistas.
- Haber presenciado o pasado el ridículo, haber sido rechazado o desaprobado en forma traumática.

En estos casos será necesario consultar a un profesional.

EDUCACIÓN A DISTANCIA

Modalidad Semipresencial

Con las ocupaciones de hoy, lo complicado para viajar y los costos, la Educación a Distancia ha ganado adeptos. Obtener un título secundario, terciario o universitario estudiando desde casa a través de Internet, puede ser ideal.

Lo preocupante de no concurrir a clases, es la perseverancia. No es lo mismo escuchar a un profesor, tomar apuntes, poder preguntar en el momento y luego en casa; leer, comprender, estudiar, ejercitarse y avanzar solo toda la carrera. Esto puede ser imposible para muchos. Por tanto, una opción intermedia es la que te permite tener autonomía de horarios y disciplina personal, pero que no deja al alumno librado al azar. Hoy esta modalidad es llamada Semipresencial o “Distribuida” (*mixta o blended learning)* y utilizada en la Argentina por la Universidad Empresarial Siglo 21, entre otras.

La Modalidad Distribuida requiere unas pocas horas semanales para desarrollar actividades universitarias en grupo, con asistencia de tutores presenciales, Centro de Aprendizaje Universitario (CAU), cercano a tu domicilio.

Las sugerencias dadas en este Manual te serán muy útiles para leer con eficacia, planificar tareas, resumir correctamente, memorizar y buscar información para hacer trabajos escritos. Además, podrás reconocer los métodos de examen y responder con éxito.

Modalidad de aprendizaje distribuido, mixto o blended learning[8]

La educación en la modalidad distribuida es un sistema de educación mixta que combina sesiones presenciales con sesiones mediadas por la tecnología a través de Internet.

La comunicación facilitador-estudiante y estudiante-estudiante puede ser de dos formas: sincrónica (tiempo real) y asíncronica (tiempo diferido). Las sesiones presenciales se emplean para brindar asesoría y directrices a los estudiantes, así como para retroalimentar las actividades realizadas e intercambiar comentarios con el resto de los compañeros de estudio, dejando para la virtualidad la realización y envío de actividades.

También es posible hacer uso de medios de comunicación de Internet, tales como el chat, el correo electrónico y el foro de discusión, cuya elección y frecuencia de uso son establecida de acuerdo con las necesidades del curso y de los participantes.

- Las tareas son enviadas al facilitador a través de los sistemas de transferencia de archivos electrónicos, por medio de la plataforma educativa que se utilice en apoyo a las actividades del facilitador y el estudiante.

- Los materiales de estudio son descargados por los estudiantes desde la plataforma educativa en la que se encuentre publicado el curso.
- La flexibilidad permite tanto al facilitador como al estudiante equilibrar su ritmo de trabajo para organizar sus actividades.

Estudiante. Es el eje central del quehacer educativo y en función del cual se estructura el proceso de aprendizaje. De hecho, el curso se diseña a partir de las características particulares de los estudiantes a los que va a ir dirigido. Su papel no se debe limitar a cumplir con las actividades planeadas, sino a ir más allá del conocimiento que ahí se presenta. Se requiere una mezcla de flexibilidad, persistencia y trabajo arduo.

Un alumno en esta modalidad deberá:

• Cumplir con las responsabilidades demandadas por el programa académico.

• Autorregular su aprendizaje.

• Ser capaz de automotivarse.

• Fijarse metas y objetivos claros.

• Establecer su horario y ritmo de trabajo.

• Incrementar sus habilidades de comunicación escrita.

• Conformar y participar en grupos de trabajo colaborativo.

• Asumir con seriedad sus participaciones en foros y chats.

• Adoptar nuevos estilos de aprendizaje.

• Ser autor de su propio desarrollo (aprendizaje autónomo), eligiendo los caminos, herramientas y momentos que considere oportunos para aprender.

Facilitador. Es el personal académico o profesor de la modalidad virtual que acompaña al estudiante durante todo su proceso de aprendizaje, proporcionándole las herramientas necesarias para la construcción de conocimientos. Su principal función radica en dar seguimiento y retroalimentación a las actividades del estudiante, así como motivarlo y resolver las dudas relacionadas con el contenido del curso que pudieran presentarse durante el proceso.

Compañeros. Son los que favorecen el aprendizaje colaborativo al realizar las diversas actividades grupales que se señalan en el curso. Los compañeros de estudio ofrecen al estudiante la oportunidad de intercambiar información, comentarios y opiniones relacionados con los contenidos del curso o incluso sobre temas de interés general. De esta forma, el estudiante construye conocimientos de manera conjunta con sus compañeros.

Materiales de estudio. Son documentos que contienen información de la materia de estudio, diseñados para que el estudiante interaccione significativamente con ellos por medio de actividades que inducen la comprensión, la retención, la aplicación creativa del conocimiento y la solución de problemas. Los materiales de estudio se pueden presentar en diferentes formatos, a saber: impresos, imagen fija, audiovisuales, multimedia e hipertexto, presentaciones electrónicas, entre otros. La forma de entrega también varía en función de las particularidades de la información: material impreso, CD-ROM, DVD-ROM y páginas Internet.

Personal de apoyo. Es personal altamente capacitado que brinda orientación permanente a los estudiantes en aspectos relacionados con dudas tecnológicas, académicas y administrativas. Dicho personal puede ser contactado por medios electrónicos y/o también telefónicamente para la resolución de dudas.

Herramientas de comunicación. En la educación virtual son los medios electrónicos que hacen posible la interacción facilitador-estudiante y estudiantes-estudiantes, tales como el foro de discusión, el correo electrónico y el chat.

Todos estos componentes se encuentran contenidos dentro de una **plataforma educativa,** que es un espacio virtual de aprendizaje en donde el estudiante interactúa con sus compañeros, facilitador y materiales de estudio, de manera sincrónica y asincrónica a través de las herramientas de comunicación electrónica.

El siguiente es un resumen de las modalidades mencionadas[9] con un cuadro para su fácil comparación

Modalidad	Presencial	Distribuido	A Distancia	Virtual
Interacción maestro-alumno	Cara a cara con retroalimentación inmediata a través del contacto personal.	Se interactúa de forma presencial y se combina con asesorías vía Internet.	La interacción se apoya en el uso de diversos medios de comunicación. No se establece un contacto directo	Se apoya 100% en herramientas de comunicación de Internet.
Interacción alumno-alumno	Cara a cara. Intercambios de forma personal y directa	Se realizan intercambios de forma presencial combinados con encuentros en ambientes no presenciales	No se realizan intercambios directos, la comunicación se establece a través de diversos recursos tecnológicos	La interacción se apoya 100% en herramientas de comunicación de Internet.

Uso de tecnología	Se puede hacer uso de recursos didácticos para apoyar la clases presenciales	Se combinan los medios usados en la presencialidad con uso de Internet para descarga de materiales, uso de foros, Chat y correo electrónico	Se puede hacer uso de videoconferencias, audio, conferencias, correo postal, entre otros.	Plataforma educativa donde se localizan contenidos, medios de comunicación y recursos de apoyo.
Tiempo	Las sesiones se realizan en tiempo real.	Se combinan sesiones presenciales con sesiones en tiempo diferido a través de Internet.	Se pueden realizar sesiones en tiempo real mediadas por tecnologías de comunicación pero no hay con contacto directo con el total de la clase.	Puede haber coincidencia en tiempo a través de herramientas como el Chat, pero en general la comunicación y trabajo es en tiempo diferido

Distancia	Existe un espacio físico determinado para la interacción	Se combinan sesiones en espacios físicos determinados con sesiones no presenciales mediadas por la tecnología	El maestro y los alumnos se encuentran en diferentes espacios físicos desde los que establecen contacto visual.	No existe un espacio físico. Toda la nteracción y trabajo se realiza a través de una plataforma educativa. Maestros y alumnos nunca se conocen.

HACER UN CV

Existen modelos de CV formales e informales. Podés encontrarlos en Word, en Internet, en páginas de Consultoras Laborales, etc. pero, te sugiero un análisis previo de tus preferencias, para que luego de responder este test, lo releas y sepas hacia donde debe orientarse tu búsqueda laboral

Para definir las características personales es buena técnica establecer: conocimientos formales y habilidades técnicas, predisposición para las comunicaciones, ambiente de trabajo deseado, tipos de trabajos considerados ideales y un autoanálisis.

Si te interesa conocer tu perfil, completa la Ficha N°17

http://www.youtube.com/watch?v=BariprazhKo (video sobre cómo hacer un curriculum)

FICHAS DE PRÁCTICA

Ficha Nº 1: Test: “Mi Modo de Estudiar”.

APTITUDES METACOGNITIVAS [10].

Este test tiene por objeto conocer tu desempeño estudiantil. Deberás contestar **todas** las preguntas por “si” o “no” con una X. Luego veremos juntos los resultados.

	Yo si	**Yo no**
1. ¿Planifico el tiempo de estudio?		
2. ¿Me ajusto al plan?		
3. ¿Preparo todos los elementos antes de empezar a trabajar?		
4. ¿Busco el lugar mas apropiado para estudiar?		
5. ¿Hago breves descansos programados durante un largo horario de estudios?		
6. ¿Realizo una lectura previa del texto que debo estudiar?		
7. ¿Tengo una técnica para estudiar?		
8. ¿Tomo nota de las clases de los profesores?		
9. ¿Distingo las ideas principales de las secundarias?		
10. ¿Soy hábil manejando los índices de los libros?		
11. ¿Conozco las pautas para la presentación de un informe escrito?		

12. ¿Analizo los cuadros y los gráficos de los textos?		
3. ¿Organizo los repasos de los exámenes?		
14. ¿Reviso el examen antes de entregarlo?		
15. ¿Mis exámenes son ordenados y prolijos?		

Ver al final del libro los resultados del presente test.

Ficha Nº 2: Test "LA MEJOR MANERA DE ESTUDIAR"

De acuerdo a lo discutido en el curso, marcá una sola respuesta por pregunta:

1. ¿Es bueno estudiar con música? No. Sólo si usás auriculares para no molestar. Si, así estudiamos más contentos.
2. Si quitás horas de sueño para el estudio es que... Soy un estudiante muy sacrificado. Las debo recuperar en la siesta. Me he planificado mal.
3. Durante la cursada se debe estudiar... Todos los días. Sólo cuando me manden tarea. Sólo cuando se acercan los exámenes.
4. Durante los períodos de estudio debemos llamar a los amigos... Siempre que lo necesitemos. No se los llama, esperaremos al descanso. Sólo si tenemos una duda importante.
5. Cuáles de estas cosas debe haber cerca de la mesa de trabajo: Un teléfono para consultar dudas a los amigos. Un juego o revista para los ratos de descanso. Un diccionario.
6. Una buena alimentación y el ejercicio físico influyen en el estudio...

Positivamente. Sólo influye positivamente la alimentación. No influyen nada.
7. Debemos utilizar para estudiar estimulantes... Sólo en casos de extrema necesidad. Jamás. En los exámenes finales. (Una vez al año...)
8. La iluminación debe ser... De una lamparita suave Contraria a la mano con que escribimos. De frente
9. Cuando encontremos dificultades lo mejor es... Dedicarse a otra cosa. Resignarse. No rendirse.

Ver al final del libro las respuestas correctas del presente test.

Ficha Nº 3 GRILLA DE ACTIVIDADES DIARIAS

	Lunes	Martes	Miércoles	Jueves	Viernes	Sábado	Domingo
1							
2							
3							
4							
5							
6							
7							
8							
9							
10							
11							
12							
13							
14							
15							
16							
17							
18							
19							
20							
21							
22							
23							

Ficha Nº4 COMPROBAR LA COMPRENSIÓN

Leé el texto una vez, luego pasá a la siguiente hoja para hacer un ejercicio:

CRIANDO LANGOSTAS[11]

Aquel verano hacía un calor insoportable. Nos habíamos levantado con mucho sueño esa mañana. Salí al patio y al mirar hacia un lado me llevé una susto horrible: ¡Papá, papá, hay un saltamontes gigante en los ladrillos de la pared!, gritaba yo mientras corría. Llegué jadeando hasta el comedor. Mi padre me calmó: Tranquilo, Pablo, no creo que sea ninguna invasión de extraterrestres. Tiré de su brazo y lo arrastré hasta el patio. ¡Mira, mira!

Allí estaba el insecto, no se había movido. Mi padre, que es amante de los animales, me dijo que intentaríamos agarrarlo y meterlo en un balde; o mejor, en un terrario de cristal que guardaba en el garaje, para estudiar su comportamiento. Y, sí, intentamos agarrarlo, (bueno, mi padre) pero el saltamontes tenía otros planes. Después de varios intentos y varias carreras por el patio, agarramos al saltamontes, más por su agotamiento que por nuestra habilidad.

Ya en el terrario el pobre animal estaba muy quieto. Mi padre, que tiene muchos libros sobre animales, estuvo buscando un momento y pronunció una solemne frase: "No es un saltamontes, es un langosta, de nombre científico *Locusta migratoria* y además es una hembra" . Lo siguiente que hicimos fue tomar un pedazo de lechuga y echárselo en su nueva casa. Luego estuvimos buscando más información, incluso en Internet. Aprendimos que las langostas pueden originar temibles plagas en África que arrasan los lugares por donde pasan. También me dijo mi padre que algunos pueblos de

África utilizan las langostas como comida. ¡Puaj! Aunque bien pensado las gambas son más feas... y bien ricas que están.

La langosta era mi mascota. Bien es verdad que no la podía sacar a pasear, como si fuera un perro, o acariciarle el lomo, como si fuera un gato. Pero pocos niños tienen un insecto como mascota. Y yo pasaba ratos interminables viendo cómo devoraba cualquier alimento que le ponía. ¡Comía de todo! Pan, lechuga, ciruelas, patata... Ahora no me extrañaba que mi, aparentemente, inofensiva langosta pudiera ser una plaga cuando se juntaba con otras langostas.

Mi langosta comía mucho pero también... ejem... cagaba. Depositaba unos excrementos ovalados en el interior de la tierra del terrario. Era normal.

Al cabo de unas semanas mi insecto dejó de moverse. Preocupado, abrí la tapa del terrario. ¡Mi mascota había muerto! ¡Qué desgracia! Lloré durante un buen rato por mi animalito. Decidí que había que enterrar el cadáver. Levanté la tapa y con mimo tomé al insecto muerto. Quedé sorprendido al ver que una hormiguitas correteaban por el fondo de tierra. Llamé a mi padre, que se fijó bien en las supuestas hormiguitas y dijo: Pablo no son hormigas, y aquellos excrementos ovalados... eran huevos: ¡Has conseguido criar langostas!

Ahora responde estas preguntas para tu comprensión:

1. ¿En qué estación se desarrolla la historia?

Primavera	Verano	Otoño	Invierno

2. Pusieron al animal en un…

Terrario	Caja	Balde	Jaula

3. El animal que capturaron era en realidad…

Saltamontes	Hormiga	Langosta	Escarabajo

4. Comía…

Pan	Zanahoria	De todo	Lechuga

5. Los excrementos en realidad eran…

Restos de Comida	Huevos	Hormigas	Crías

Autocorrección:

Compará con el texto, cada respuesta correcta vale 2 puntos. Tu puntaje es: ☐

Ficha Nº5 SUBRAYADO

Leé con atención este texto, sobre las BACTERIAS, subrayado de tres maneras distintas y señalá el que creas que está bien subrayado.
Una bacteria es un organismo unicelular. En la parte externa posee una capa, llamada pared celular, que la rodea. Por dentro y pegada a la pared se encuentra la membrana celular.
Una bacteria es un organismo unicelular. En la parte externa posee una capa, llamada pared celular, que la rodea. Por dentro y pegada a la pared se encuentra la membrana celular.
Una bacteria es un organismo unicelular. En la parte externa posee una capa, llamada pared celular, que la rodea. Por dentro y pegada a la pared se encuentra la membrana celular.

Revisá la solución al final del libro

Practicá el uso de estos signos (ideogramas)

NATURALEZA DE LA RELACIÓN	ELECCIÓN DE SIGNOS
Equivalencia	= igual // paralelo > superior a.. < inferior a.. ≈ poco diferente de.. ≠ diferente de ≡ idéntico a..
Inclusión	() o ⊂ inclusión ∈ pertenencia ∩ intersección ∪ unión - menos + más 1. Entre dos elementos
Influencia	) causalidad → implicación
Matización	? incomprensión ?? duda ~ negación ! importancia !! indignación

Ficha Nº6 NOTAS AL MARGEN

Leé el siguiente párrafo y anotá al margen lo sobresaliente.

El pensamiento lateral

Cuando uno sabe lo que quiere, pero no sabe como conseguirlo tiene un problema cuya solución requiere el pensamiento lateral un pensamiento creativo que en el fondo es una manera diferente de usar el cerebro sin utilizar la lógica aunque ello pueda parecer irracional.

El pensamiento humano se caracteriza, sobre todo, por su lógica. Pero las posibilidades del hombre no terminan ahí: son tantos los que han pasado a la historia precisamente por usar otro tipo de pensamiento, otras categorías distintas.

El pensamiento lógico, la lógica, es unidireccional, sigue el camino que ella misma se traza; el pensamiento lateral cuenta con infinitas maneras de llegar a una solución porque llega a ella por caminos distintos a los del pensamiento lógico. El pensamiento lateral es un pensamiento creativo, es una forma de escapar de las ideas físicas que atan las alas de la creación.

Sin comparar uno con otro estos dos pensamientos, sin decir cual de ellos es el mejor, es necesario reconocer que ambos son igualmente necesarios: el pensamiento lateral, creativo es para crear ideas, el pensamiento lógico es para desarrollarlas seleccionarlas y usarlas.

Del mismo modo que hemos aprendido a pensar según la lógica podemos aprender a pensar creativamente

De Bono, El Pensamiento Lateral.

Practicá con estas abreviaturas usuales

p. : por	etc.: etcétera	l.: litro
c. : con	Int.: interior	Km.: kilómetro
Ant. : anterior	ext.: exterior	m.: metro
Ud. : usted	máx.: máximo	Mn.: minuto
Uds.: ustedes	Gde.: grande	Seg. : segundo
Lic.: licenciado	Peq. : pequeño	h.: hora
mm.: milímetro	Prob.: problema	d.: día
Kg.: kilogramo	Soc.: Sociedad	Cuad. :cuaderno
Gr.:gramo	Alg.: alguno	Min.: ministerio
Kw. : kilovatio	Pdte.: presidente	Pte.: presente
c.p. : código postal	Rf.: referirse	t.v.: televisión
adj.: adjunto	Arch.: archivo	Dpto.: departamento
At.: atención	Sr.: señor	Atte.: atentamente
Dr.: doctor	Gral.: general	C/u: cada uno

Ficha Nº 7 MAPAS MENTALES

Ideas Ordenadoras básicas para crear un mapa mental

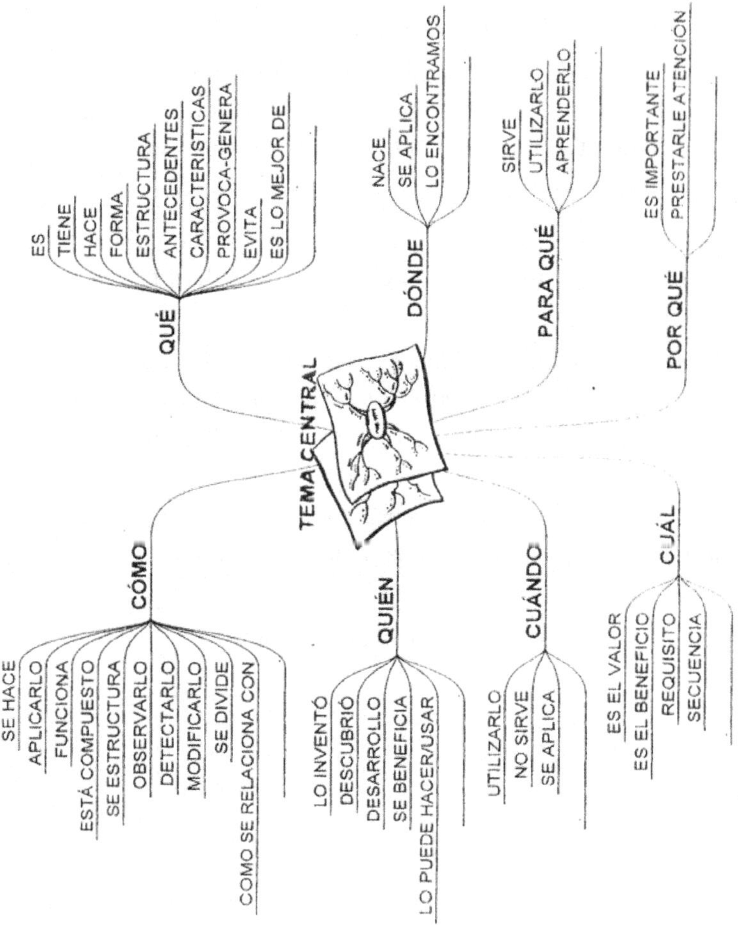

Ficha Nº8 PRACTICÁ HACER UN ESQUEMA

COMPOSICIÓN DE LA SANGRE

La sangre está formada por el plasma y las células sanguíneas. El plasma sanguíneo está formado por un líquido amarillento que transporta nutrientes, hormonas, desechos, etc.

Las células sanguíneas son:

Los glóbulos rojos, que contienen hemoglobina, una substancia que transporta oxígeno. Una peculiaridad de estas células es que no tienen núcleo.

Los glóbulos blancos, que nos defienden de los microbios que penetran por la piel o por los orificios naturales. Son interesantes los fagocitos y los linfocitos, que producen anticuerpos.

Las plaquetas son las encargadas de la coagulación de la sangre, cuando se produce una herida, por ejemplo.

Tratá de llevar desde el texto al esquema las palabras correspondientes, escribílo sobre este cuadro:

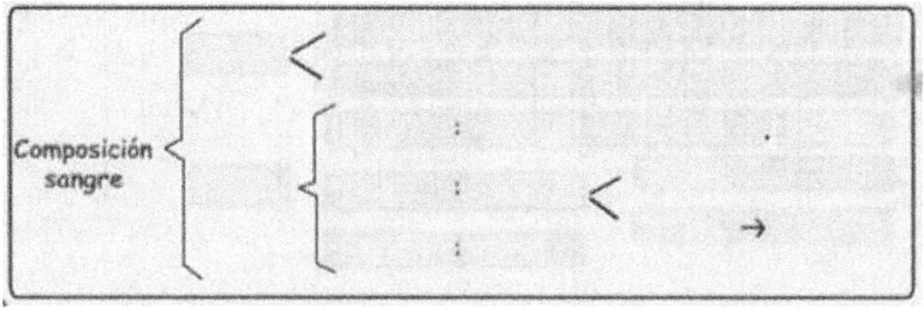

Revisá la solución al final del libro.

Ficha Nº9 CATEGORIAS PRINCIPALES DEL CAMPO COGNITIVO

La Rueda (rosa) de Benjamin Bloom: Taxonomía de los objetivos – Aprender es acción.

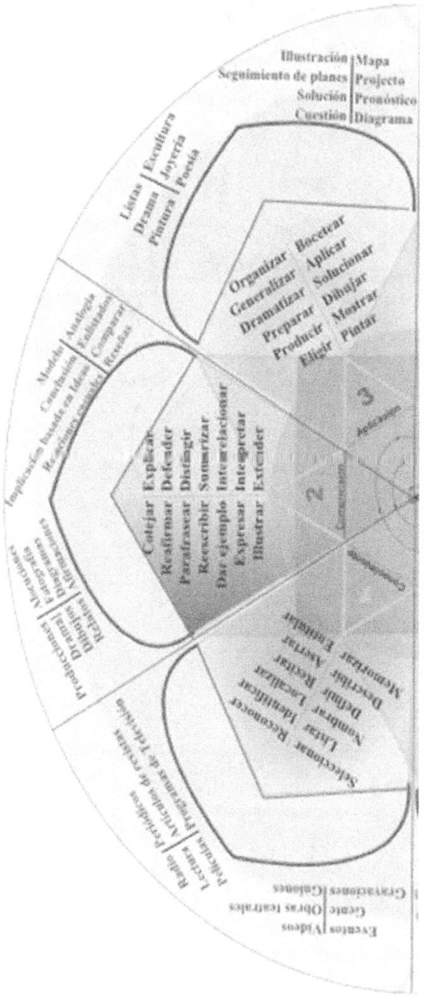

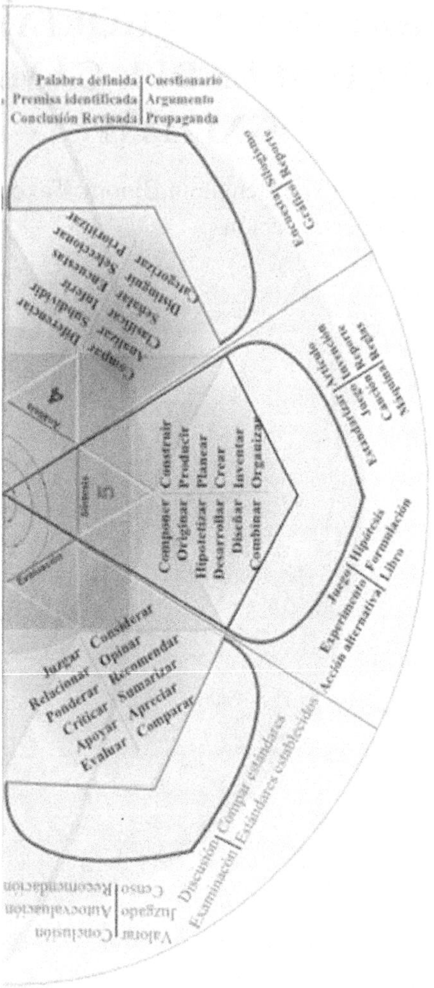
Palabra definida | Cuestionario
Premisa identificada | Argumento
Conclusión Revisada | Propaganda
Encuesta | Silogismo
Gráfica | Reporte
Compar Diferenciar
Analizar Subdividir
Clasificar Inferir
Señalar Encuestas
Distinguir Seleccionar
Categorizar Priorizar
4
Análisis
Síntesis
5
Evaluación
Componer Construir
Originar Producir
Hipotetizar Planear
Desarrollar Crear
Diseñar Inventar
Combinar Organizar
Estandarizar | Artículo
Juego | Investigación
Canción | Reporte
Máquina | Reglas
Juego | Hipótesis
Experimento | Formulación
Acción alternativa | Libro
Juzgar Considerar
Relacionar Opinar
Ponderar Recomendar
Criticar Sumarizar
Apoyar Apreciar
Evaluar Comparar
Discusión | Compar estándares
Examinación | Estándares establecidos
Valorar | Conclusión
Juzgado | Autoevaluación
Censo | Recomendación

Ficha Nº10 TÉCNICAS DE RELAJACIÓN

Relajación mental: técnica de visualización

1. Buscá una posición cómoda, si estás en horas de estudio o de trabajo que sea sentado con brazos y piernas bien apoyadas. Acostado, corrés el riesgo de dormirte. Cerrá los ojos lentamente, como si te pesaran los párpados.

2. Respirá profundamente. Retené el aire y soltalo lentamente. Hacé esto unas pocas veces. No demasiadas ya que podrías hiperventilarte y marearte.

3. Pensá en un lugar agradable para vos, que conozcas o puedas imaginarte allí (jardín, playa, flotando en el espacio).

4. Debés notar todas las sensaciones agradables de ese lugar: el canto de los pájaros, el sol en tu piel, la brisa, el sonido de las olas. Olvidate de todo lo demás. Concentrate. Permanecé así pocos minutos.

5. Volvé a la realidad lentamente, contando de 1 a 5. Abrí los ojos. Movete lentamente. Ponete de pie. Desperezate o estírate.

Relajación física: técnica de relajación-tensión

A veces no basta con intentar relajar la mente. Nuestros músculos están tensos, si tu mandíbula tiende a apretarse, los puños a cerrarse, la columna a endurecerse. Si no podés mantener quietas las piernas ni las manos. Es el momento de hacer una buena relajación total.

Vamos a tratar de tensar y relajar todas las partes del cuerpo:

1. Buscá una posición cómoda, por ejemplo acostado boca arriba con brazos y piernas estirados. También podés

hacerlo sentado cómodo y con la espalda apoyada en el respaldo de una silla y la cabeza derecha. Cerrá los ojos lentamente, como si te pesaran los párpados.

2. Respirá profunda y lentamente llenando los pulmones y el abdomen, ampliá el cuello. Retené el aire y soltalo muy lentamente. Hacé esto unas pocas veces. observando el recorrido del aire

3. Ahora empezá tensando todos los músculos de la cara (frente, cara, labios, ojos). Ahora relajálos lentamente y pensá en lo bien que están relajados. Repetí esto otra vez .

4. Tensá los músculos del abdomen, la columna, la cintura, los brazos, las manos, las piernas, contráelos. Relajalos lentamente y en orden, de pies a cabeza. Repetí esto otra vez.

5. Asegurate que están relajados todos los músculos de tu cuerpo. Permanecé de esta manera, relajado y con los ojos cerrados un minuto más. Lentamente abre los ojos, permanece así 30 segundos. Levántate lentamente.

Ficha Nº11 CONCENTRACIÓN

Tachar letras:

La idea es tachar en un texto unas letras concretas. Por ejemplo A,C,L,D. No siempre las mismas. Y ver el número de aciertos. Se trata de ir mejorando nuestras marcas.

Vamos a probar ahora. Tachá en el siguiente texto las letras U, N, P.

Los insectos son animales fascinantes. Se cree que existen más de un millón de especies. Muchas de ellas sin descubrir aún. Pertenecen al grupo de los artrópodos (animales con patas articuladas). Una de las características más importantes de los insectos es la capacidad de volar. Ello les ha permitido conquistar una gran variedad de ambientes. Algunos son parásitos, como los piojos. Otros son beneficiosos, como las abejas. Para muchos zoólogos son los reyes del planeta.

La solución al final del libro.

Tachar Números:

Este ejercicio te sirve para saber si eres muy sensible a las distracciones.

Se trata de ir marcando sobre los números por orden del 1 al 27 con un punto (·), luego en orden inverso hasta el 1 con una X. Contá el tiempo con un cronómetro. Cuando llegues al final (otra vez al 1) fijáte el resultado de acuerdo a los segundos usados.

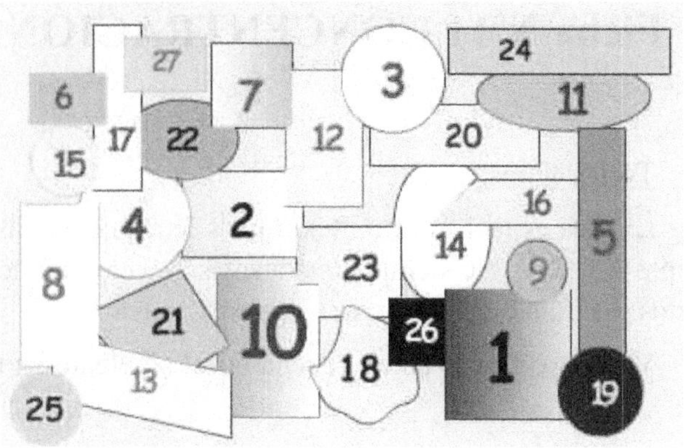

Resultados:

- ✓ Tiempo menor a 100 segundos: "Bien, tenés una capacidad de concentración buena.";
- ✓ Tiempo entre 100 y 130 segundos: "Tus resultados son normales.";
- ✓ Tiempo entre 130 y 180 segundos: "Tu concentración puede mejorar mucho.";
- ✓ Tiempo mayor a 180 segundos: "Concentración bastante baja."

Este resultado puede ser bastante variable según la edad. Compará con tus compañeros.

Ficha Nº12 CONCENTRACIÓN

Marcá las letras del diagrama inferior por orden alfabético y al llegar a la Z, en orden inverso hasta la A; es decir:

ABCDEFGHIJKLMNÑOPQRSTUVWXYZ

ZYXWVUTSRQPOÑNMLKJIHGFEDCBA

Contá el tiempo con un cronómetro o segundero. Cuando llegues a la última letra comprobá el resultado.

Punteá las letras, primero por orden alfabético hasta la Z, y luego hacé una X en orden inverso hasta la A:

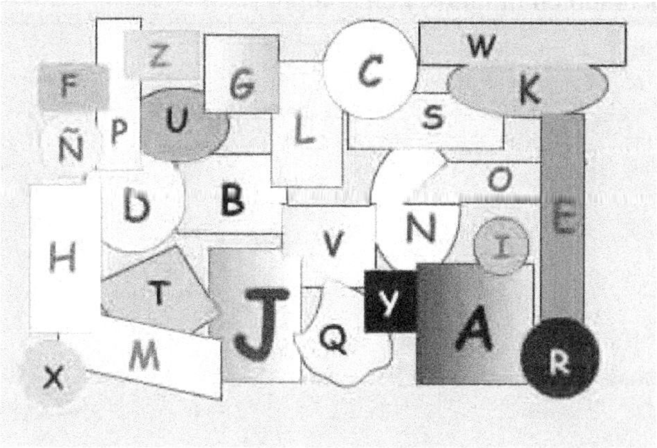

El resultado en segundos es:

- ✓ Tiempo menor a 100 segundos: "Bien, tenés una capacidad de concentración buena.";
- ✓ Tiempo entre 100 y 130 segundos: "Tus resultados son normales";
- ✓ Tiempo entre 130 y 180 segundos: "Tu concentración puede mejorar mucho.";

- ✓ Tiempo mayor a 180 segundos: "Concentración bastante baja."

Este resultado puede ser bastante variable según la edad. Compará con tus compañeros.

El uso del cronómetro para la concentración. Probate a vos mismo.

Poné el cronómetro a 5 minutos, pulsa el cronómetro y durante ese tiempo debés estar concentrado al máximo. Empezá a leer y sin apuro concentrate en la comprensión. Ni una distracción hasta que suene la alarma del cronómetro. Preparados, listos, YA

Si has tenido alguna distracción durante los 5 minutos, volvé a intentarlo. Es una buena práctica que tenés que ir aumentado en minutos y en comprensión.

Ficha Nº 13 ¿CÓMO ESTÁ TU MEMORIA?

Instrucciones:

A continuación te vamos a mostrar una lista de 10 palabras. Tendrás que memorizarlas por orden en dos períodos de 20 segundos. Usá un reloj o que alguien te controle. Luego decílas o escribílas también **por orden**.

Leé despacio la siguiente lista durante 20 segundos:

- amigo
- zapato
- mientras
- pato
- cuchara
- disco
- miedo
- linterna
- bigote
- comer
- diario
- computadora
- sombrero
- segundo
- bondad

Volvé a leer una segunda vez, durante otros 20 segundos. Ahora decilas o escribilas recordando el orden.

Contá las que están en su posición correcta. ¿Cuántas recordaste?

Ficha Nº14 LA IDEA PRINCIPAL

Subrayá las ideas principales de los siguientes textos:

El objetivo de los estados contables

El objetivo básico de los estados contables es exponer razonablemente la situación patrimonial y financiera de la empresa a un momento dado y los resultados económicos correspondientes a un determinado período o ejercicio.

En otros términos, se trata de poner a disposición de los interesados información objetiva sobre el estado de riqueza de la empresa a una determinada fecha y los cambios habidos en el mismo durante un período de tiempo, a los fines de habilitar una adecuada toma de decisiones.

Vinitzky, Gestión & Éxito Empresario

¿Qué es un producto?

Una raqueta de tenis KENNEX, un corte de cabello SUPERCUTS, un concierto de BRUCE SPRINGSTEENGN, unas vacaciones en Hawwaii, un camión GM, unos esquís Head, y un servicio de recados telefónicos son todos productos (…). Un producto es cualquier cosa que pueda ofrecerse a la atención del mercado para su adquisición uso o consumo que pueda satisfacer un deseo o una necesidad; incluye objetos físicos, servicios, personas, lugares, organizaciones e ideas.

Kotler, Fundamentos de Mercadotecnia

La distracción y sus causas

La distracción consiste en el desplazamiento de la atención hacia otros estímulos diferentes a aquellos en los que estás ocupado. Ella es uno de los peores enemigos del estudio y la causa de tu bajo rendimiento, a pesar de haber dedicado muchas horas de estudio

OTRO EJERCICIO:

Señalar la palabra que no corresponde:

RASCACIELOS

CATEDRAL

TEMPLO

ORACION

Pensá una solución y luego encontrala al final.

Ficha N°15 HACER UN RESUMEN

Leé el siguiente párrafo y escribí un resumen del mismo.

Enfoque de la investigación

Todos los enfoques de investigación pueden ser clasificados en una de tres categorías generales de investigación: exploratorios, descriptivos y causales. Estas categorías difieren significativamente en términos del propósito de la investigación de los objetivos de la investigación, de la precisión, de las hipótesis que son formuladas y de los métodos de recolección de datos que se usen

La investigación exploratoria se usa cuando se esta buscando indicios acerca de la naturaleza general de un problema, las posibles alternativas de decisión y las variables relevantes que necesitan ser consideradas. Existen por lo general, pocos conocimientos anteriores sobre los cuales se puede edificar. Los métodos presente son altamente flexibles, no estructurados y cualitativos, para que el investigados empiece sin preconcepciones respecto de lo que se descubrirá (…)

La investigación descriptiva abarca una gran proporción de investigación de mercado. Su propósito consiste en proporcionar un fotografía exacta de algún aspecto de medioambiente de mercado, como: (…) la evaluación del consumidor acerca de los atributos de nuestros productos contra los productos de la competencia las características socioeconómicas y demográficas de los lectores de una revista (…) Cuando es necesario demostrar que una variable causa determina los valores de otras variables debe usarse un tipo de investigación causal.

La investigación descriptiva no es suficiente, puesto que todo lo que puede mostrar es que dos variables están relacionadas o asociadas (…) Para ir mas allá de esta inferencia debemos tener una prueba razonable de que una variable precedió a la otra y que no hubo factores causales que pudieran haber explicado la relación

Aaker y Day, Investigación de Mercados

Ficha Nº 16 FICHAJE DE LIBROS Y BIBLIOGRAFIA

En primer lugar todas las referencias deberán estar ordenadas por orden alfabético, y dentro de cada una de ellas habrá que seguir el orden que especifique el instructivo de la Cátedra o si no lo especifica podés utilizar el que expuesto a continuación. Un método muy práctico, sobre todo si el profesor manda por mail o entrega el programa, es hacerlo en el mismo orden que lo hizo el profesor.

Existen muchas maneras de consignar la Bibliografía según prepares un libro, un ensayo, una monografía, etc. Esta es la más común actualmente. [12]

1 LIBROS:

a. Apellido del autor (o en su defecto editor), nombres de pila (reduciéndolos a las iniciales). Cuando existan varios autores se separarán con punto y coma y un espacio.

b. Año de publicación, entre paréntesis.

c. Título en cursiva, respetando mayúsculas y minúsculas.

d. Edición, si no es la primera.

e. Editorial.

f. Lugar de publicación.

Ejemplo: Novales, A., (1993), *Econometría*, (2ª Edición), McGrawHill, Madrid

2 CAPÍTULO DE LIBRO: puede incluirse en el mismo listado de los libros

a. Apellido del autor (o en su defecto editor), nombres de pila reduciéndolos a las iniciales. Cuando existan varios autores se separarán por punto y coma y un espacio.

b. Año de publicación, entre paréntesis.

c. Título del capítulo entre comillas.

d. en

e. Título del libro donde está publicado, en cursiva.

f. Edición, si no es la primera.

g. Editorial.

h. Lugar de publicación.

i. Páginas.

Ejemplo: Foulkes, F. K., (1998), "El futuro de los RR.HH.", en *El Futuro de la Dirección de Recursos Humanos*, Ediciones Gestión 2000, Barcelona, pp. 300-306.

3 ARTICULO:

a. Apellido del autor (o en su defecto editor), nombres de pila reduciéndolos a las iniciales. Cuando existan varios autores se separarán por punto y coma y un espacio.

b. Año de publicación, entre paréntesis.

c. Título del artículo entre comillas.

d. Nombre de la Revista donde se ha publicado, en cursiva.

e. Volumen.

f. Número.

g. Páginas del artículo.

Ejemplo: Fama, E. F., (1965), "The behavior of stockmarket prices", *Journal of Business,* Vol. 38, No. 1, pp. 34-105

4 DOCUMENTOS DE TRABAJO:

a. Apellido del autor (o en su defecto editor), nombres de pila reduciéndolos a las iniciales. Cuando existan varios autores se separarán por punto y coma y un espacio.

b. Año de publicación, entre paréntesis.

c. Título del artículo entre comillas.

d. Referencia o número.

e. Organismo o entidad que lo ha publicado.

Ejemplo: Bensalah, Y., (2000), "Steps in applying extreme value theory to finance: A review." Documento de trabajo no. 20, Banco de Canadá.

5 PÁGINAS WEB.

a. Organización responsable de la página Web.

b. Título, tema, o serie numérica descargada. (en cursiva)

c. Fecha de publicación. (si corresponde)

d. Fecha de la última visita. (día, mes, año)

e. Dirección Web.

Ejemplo: Instituto Nacional de Estadística, Encuesta de ocupación hotelera 2000:Viajeros entrados por país de residencia y categoría, Consulta: 25 septiembre 2004, <htttp://www.ine.es>

Ficha Nº17 CURRICULUM VITAE

Antes de hacer tu CV completá este formulario para que puedas conocerte más a día de hoy e ir seguro a una entrevista laboral. Además te orienta a escribir los datos más importantes en el CV. Podés usar esta estructura para el armado usando los títulos de cada sección, pero si hay elementos que no posees, no incluyas ese título o ítem.[13]

CONOCIMIENTOS FORMALES Y HABILIDADES TECNICAS

Ø ¿Qué conocimientos poseo?

1.- Estudios formales.

2.- Cursos y/o seminarios realizados

3.- ¿Qué aprendí en ellos?

4.- Detallar otros conocimientos prácticos

Ø ¿Poseo predisposición docente?

(Entendiendo como tal la habilidad para transmitir conocimientos)

SI - NO En caso de ser la respuesta afirmativa, ¿En qué especialidades o áreas?

PREDISPOSICION PARA EL TRABAJO

Ø ¿Qué habilidades tengo para trabajar?

- □ Con gente
- □ Con máquinas
- □ Con números
- □ En atención al público

PREDISPOSICION PARA LAS COMUNICACIONES

Ø ¿Con quiénes poseo habilidad para comunicarme?

- □ Con mis compañeros

- □ Telefónicamente
- □ Público en general
- □ Compradores potenciales Con mis jefes, profesores, autoridades

AMBIENTE DE TRABAJO DESEADO

Ø ¿Dónde me gustaría trabajar?

- □ En una gran empresa
- □ En una Pyme
- □ En un banco
- □ En industria
- □ En comercio
- □ En servicios
- □ Desde mi casa
- □ En mi barrio
- □ En el campo

Ø ¿Tengo predisposición a viajar regularmente a otras zonas?

SI - NO

Ø ¿Tengo predisposición a radicarme en otra ciudad o provincia?

SI - NO

Ø ¿Aceptaría trabajar en...?

- □ Lugares ruidosos
- □ En altura
- □ En la calle
- □ En mi casa
- □ Con altas temperaturas
- □ Con bajas temperaturas
- □ Con polvo en suspensión

TIPOS DE TRABAJOS DESEADOS

- □ Comprar y vender cosas
- □ Negociar
- □ Armar y desarmar equipos o electrodomésticos
- □ Trabajos manuales
- □ Orientar a la gente, ayudarla
- □ Preparar informes
- □ Redactar textos
- □ Ordenar datos
- □ Pintar
- □ Dibujar
- □ Diseñar
- □ Escribir
- □ Moldear
- □ Decorar
- □ Otros (detallar)

JORNADA DE TRABAJO

Ø ¿Cuánto tiempo quiero trabajar?

- □ Ocho horas diarias
- □ Tiempo parcial
- □ Horarios extensos

Ø ¿En qué turnos me gustaría trabajar?

- □ De mañana
- □ De tarde
- □ De noche
- □ En turnos rotativos
- □ En horarios discontinuos

ASPECTOS A CONSIDERAR

Ø ¿Qué aspectos me parecen importantes?

- □ La proximidad geográfica de la empresa y mi domicilio
- □ El nivel del salario
- □ Los beneficios sociales
- □ Los beneficios adicionales al salario
- □ El ambiente laboral
- □ El prestigio de la empresa
- □ Las posibilidades de progreso
- □ Las tareas a desarrollar
- □ Otros (detallar)

AUTOANALISIS

Ø ¿Qué pienso de mí mismo? Completa todas las frases

- □ Lo bueno de mi es
- □ Lo que me gusta
- □ Me felicito por
- □ Lo que debo cambiar
- □ Lo que no me gusta
- □ Lo que podría mejorar
- □ Lo que temo que los demás piensen
- □ Lo que oculto y temo que los demás descubran

SOLUCIONES

Soluciones del Test Personal de la Ficha Nº 1

Para conocer el nivel de tu actual desempeño estudiantil sumá 1 punto por cada marcá en la columna 1 (YO SI) y compará con la siguiente tabla:

Entre 15 y 10 puntos: **MUY BIEN**. Estás en óptimas condiciones en cuanto a estrategias de estudio. Revisá los aspectos que te falten e intentá mejorarlos.

Entre 9 y 5 puntos: **BIEN**. Sos un buen estudiante pero tenés que adquirir los hábitos que te faltan para estar más seguro en el estudio.

Entre 4 y 0 puntos: **REGULAR**. Podrás obtener un rendimiento más satisfactorio en la medida que te esfuerces y superes tus propias carencias frente al estudio. Es seguro que podrás hacerlo!

Soluciones del Test de la Ficha Nº 2

La Mejor Manera de Estudiar. Compará tus respuestas.

Autocorrección: Cada respuesta correcta vale un punto. Tu calificación es:

1.- ¿Es bueno estudiar con música?
No.
2.- Si quitas horas de sueño para el estudio es que...
Me he planificado mal.
3.- En días de diario se debe estudiar...
Todos los días.
4.- Durante los periodos de estudio debemos llamar a los amigos...
No se los llama, esperaremos al descanso.

5.- Cuáles de estas cosas debe haber cerca de la mesa de trabajo:
Un diccionario.
6.- Una buena alimentación y el ejercicio físico influyen en el estudio..
Positivamente
7.- Debemos utilizar para estudiar estimulantes como las anfetaminas…
Jamás
8.- La iluminación debe ser…
Contraria a la mano con que escribimos
9.- Cuando encontremos dificultades lo mejor es…
No rendirse

Soluciones de la Ficha Nº 5 SUBRAYADO

Una bacteria es un organismo unicelular. En la parte externa posee una capa, llamada pared celular, que la rodea. Por dentro y pegada a la pared se encuentra la membrana celular.	MAL: el primer subrayado es evidente. Sobran palabras subrayadas. que esté pegada a la pared es información secundaria. Sobra el subrayado de la.
Una bacteria es un organismo unicelular. En la parte externa posee una capa, llamada pared celular, que la rodea. Por dentro y pegada a la pared se encuentra la membrana celular.	BIEN: sólo están subrayadas la ideas importantes. No hemos subrayado bacteria ya que se supone que es el título.

Una bacteria es un organismo unicelular. En la parte externa posee una capa, llamada pared celular, que la rodea. Por dentro y pegada a la pared se encuentra la membrana celular.	MAL: no tiene sentido subrayar todo el texto, sólo las ideas principales.

Solución a la Ficha Nº 8 PRACTICÁ HACER UN ESQUEMA

Compará tu esquema con el que sigue.

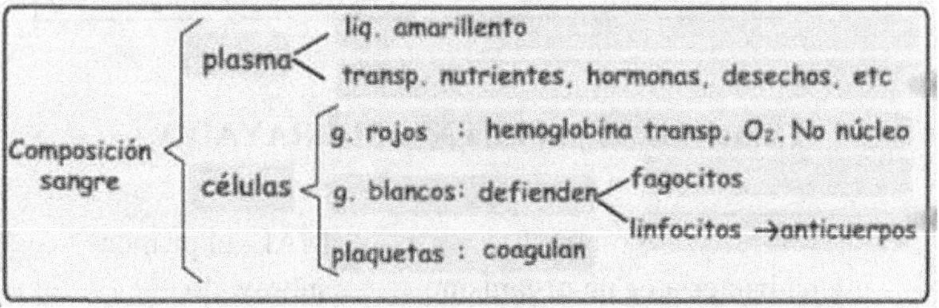

Soluciones de la Ficha Nº 11 CONCENTRACION

Hay 51 letras para tachar.

Los insectos son animales fascinantes. Se cree que existen más de un millón de especies. Muchas de ellas sin descubrir aún. Pertenecen al grupo de los artrópodos (animales con patas articuladas). Una de las características más importantes de los insectos es la capacidad de volar. Ello les ha permitido conquistar una gran variedad de ambientes. Algunos son parásitos, como los piojos. Otros son beneficiosos, como las abejas. Para muchos zoólogos son los reyes del planeta.

Comprará esta Ficha con la tuya.

Autocorrección: Cada acierto vale 0,20. ¿Obtuviste más de 10 puntos? Excelente!

Soluciones de la Ficha Nº 13 ¿CÓMO ESTÁS DE LA MEMORIA?

Según el número de aciertos:

Menos de 4 aciertos: "Bastante mal. Es muy conveniente que practiques más las técnicas sobre memoria "

Entre 4 y 8 aciertos: "Tus resultados son normales. Piensa que con las técnicas podés mejorar bastante."

Entre 8 y 14 aciertos: "Tu memoria es bastante buena. Con las técnicas podrías obtener resultados increíbles.";

Entre 14 y 16 aciertos: "Realmente genial. ¿No has hecho trampa? Trata de mejorar otro aspecto de tu estudio, porque lo que es memoria, te sobra.";

Soluciones de la Ficha Nº 14 LA IDEA PRINCIPAL

Según tu manera de agrupar la idea principal, la solución puede ser: que la palabra "oración" sea la incorrecta porque pensabas en agrupar los edificios o que la palabra que quieras descartar sea "rascacielos", si agrupabas los elementos religiosos.

BIBLIOGRAFÍA

Se han compilado y adaptado textos y ejercicios de

Libros Consultados:

Buzan, Tony, El libro de los Mapas Mentales, Barcelona: Urano, 1996

Nicoletti, Javier Augusto. El Estudio, Estrategias de Aplicación. Universidad Nacional de la Matanza. Prometeo Libros. 2007

Sequeira, Gustavo. Todas las Técnicas de Estudio. Editorial Imaginador. 2004

Otros Textos:

Curso Aprender a Estudiar Universidad de Belgrano

Páginas Web:

www.raulprofe.com

www.ilvem.com

www.wikilearning.com

www.wikipedia.org.es

www.unimar.edu.ve

Armado, corrección y diseño de tapa:
Matías E. Manoukian
Foto de tapa: Stock Photos
Escribime a
licenciadaana@gmail.com

---

[1] Basado en un escrito de Dr. Horacio Krell, Director de ILVEM

[2] Tomado de El Estudio, página 59 a 61

[3] Tomado de El Libro de los Mapas Mentales

[4] Tomado de El Estudio, página 29

[5] Tomado de una nota de H. Krell, Director Fundador de ILVEM

[6] Extraído de El Libro de los Mapas Mentales, Tony Buzan

[7] Tomado del sitio www.raulprofe.com

[8] Tomado de www.21.edu.ar

[9] Tomado de www.uv.mx

[10] Adaptado de Universidad de Belgrano.

[11] Escrito por Raúl Martínez, Colegio V. Móstoles. España

[12] Tomado de http://www.wikilearning.com/curso_gratis/tecnicas_de_insercion_laboral-caracteristicas_personales/16178-5

www.psicristiana.com
Tel. 11 5015 5013 / 1156460870
e-mail:
info@psicristiana.com
draanagkm@gmail.com
Facebook:
www.facebook.com/draanagkm
Twitter:
@draanagkm
Hecho el depósito que prevé la ley 11.723
ISBN: 978-987-86-4852-1

Buenos Aires, Argentina

Made in United States
North Haven, CT
17 August 2023

40405055R00068